AR DRAWS GWLAD

Ar Draws Gwlad

Ysgrifau ar Enwau Lleoedd

Gwynedd O. Pierce
Tomos Roberts
Hywel Wyn Owen

Argraffiad cyntaf: Mawrth 1997

Ⓗ *Yr Awduron*

*Rhif Llyfr Safonol Rhyngwladol:
0-86381-423-9*

Clawr: Smala

*Argraffwyd a chyhoeddwyd gan Wasg Carreg Gwalch,
12 Iard yr Orsaf, Llanrwst, Dyffryn Conwy LL26 0EH.
☎ (01492) 642031*

Yr Athro Emeritws Gwynedd O. Pierce. Cyn bennaeth Adran Hanes Cymru, Prifysgol Cymru, Caerdydd. Cyfarwyddwr Prosiect Enwau Lleoedd Cymru y Bwrdd Gwybodau Celtaidd. Cadeirydd Pwyllgor Ymgynghorol Enwau Lleoedd y Swyddfa Gymreig. Llywydd y Society for Name Studies in Britain and Ireland.

Tomos Roberts. Archifydd y Brifysgol, Prifysgol Cymru, Bangor. Aelod o Bwyllgor Ymgynghorol Enwau Lleoedd y Swyddfa Gymreig.

Hywel Wyn Owen. Pennaeth Ysgol Astudiaethau Cymuned, Rhanbarth a Chyfathrebu, Prifysgol Cymru, Bangor. Sylfaenydd a Chyfarwyddwr Cyngor Enwau Lleoedd Clwyd.

Rhagair

Detholiad o dros gant o'r ysgrifau wythnosol i'r golofn 'Ditectif Geiriau' yn y *Western Mail* a ymddangosodd rhwng canol 1993 a dechrau 1996 yw'r gyfrol hon.

Y mae eu bodolaeth i'w briodoli'n llwyr i ddycnwch a brwdfrydedd John Cosslett, un o Olygyddion Gweithredol y *Western Mail*, a fynnodd sicrhau parhad y gyfres wedi marwolaeth annhymig ein cyfaill yr Athro Bedwyr Lewis Jones, cynheiliad y golofn o'i dechreuad. Cawsom ganiatâd parod y *Western Mail*, trwy law John Cosslett, i atgynhyrchu'r ysgrifau dan deitl y llyfr hwn. Tomos Roberts biau'r teitl.

Fe anelwyd yr ysgrifau at yr endid niwlog hwnnw, y darllenydd cyffredin, gan geisio torri cŵys rhwng y dull academaidd ffurfiol o drafod enwau lleoedd a'r hyn y gellir ei alw'n fras yn ddull 'poblogaidd', heb wneud unrhyw ymdrech, ar yr un pryd, i osgoi trafod ffurfiant, ystyron, cyfnewidiadau ieithyddol a'u tebyg gan fod yn gwbl ymwybodol fod darllenwyr yr oes hon yn awyddus i dderbyn y wybodaeth honno. Nid yw absenoldeb troednodiadau a thermau technegol ac yn y blaen, ar y llaw arall, yn golygu nad ydym, ein tri, yn drwm ein dyled i genedlaethau o ysgolheigion a aeth o'n blaen ni ac sydd hefyd yn dal i lafurio'n oleuedig yn yr un maes.

Gwynedd Pierce

Abercwmboi

Nid yn aml y ceir cyfuno **aber** 'lle llifa afon i'r môr neu i afon arall' a **cwm** mewn enw lle. Yn amlach na pheidio, enw afon neu nant a geir yn dilyn y naill a'r llall, oni bai fod yr enw'n ddisgrifiadol neu dopograffaidd.

Ai enw nant, felly, a geir ar ôl **aber** yn **Abercwmboi** ac nid elfen sy'n cynnwys **cwm** + ffurf anhysbys a barodd i rai chwilio am ryw 'foi' i'w uniaethu â hi? Er mor anhebyg yw hynny o edrych ar ffurf yr enw fel y mae heddiw, y mae'r ffurfiau cynharach arno yn tueddu tuag at y posiblrwydd hwnnw.

Yn y cyffiniau, ceir cwm bychan a ddangosir ar y map fel **Cwm Boi** a nant yn llifo trwyddo i ymuno ag afon Cynon, gyda'r echrysbeth diweddar **Glen Boi** wedi cael ei dadogi yn enw ar y pentref cyfagos. Ar ddiwedd y ddeunawfed ganrif (ac ar ôl hynny) safai dwy fferm yn y cwm, **Abercwmfoi issa** 1788 ac **Abercwmvoy Ycha** 1795, yr olaf yn ymddangos yn 1799 fel **alias Blaencwmboi**, ac o hynny ymlaen daw'r ffurf **Abercwmboi**, gyda rhai amrywiadau arno, yn ffurf gyffredin.

Cyn hynny, y mae'n eglur mai -**f**- neu -**v**-, ac nid -**b**-, a geir yn yr elfen sy'n ymddangos heddiw fel -**cwmboi**, a hefyd nad -**w**- oedd y llafariad gyntaf ond -**o**- (neu -**e**-). **Aberken Voye** 1547-51 ac **Aberconvoye yssa** 1570 yw'r ffurfiau cynharaf sydd gennym ar glawr.

Rhywfodd, felly, trwy eirdarddiaeth boblogaidd nad ydym yn gwbl sicr sut i'w esbonio, fe droes y ffurf lafar -**confoi** (sef -**confoe** yn wreiddiol, yn ôl pob tebyg), yn -**cwmboi**, gyda'r acen ar y sillaf olaf. Y tebyg yw, yn ogystal, mai enw'r nant oedd **Confoe** yn yr enw **Aberconfoe**, i roi i'r enw ei ffurf gysefin debygol.

Ai'r man lle rhed y nant i Gynon a ddynodir gan **aber** yma? Mae hynny'n bosibl, ond posibl hefyd yw mai **aber** mewn ystyr ddatblygedig 'ffrwd, nant' yn syml a geir yma. Digwydd hyn yn lled gyffredin yn y Gogledd, ond prin yw'r enghreifftiau yn y De.

Barn y diweddar R.J. Thomas hefyd oedd mai hen hen enw personol a roddwyd yn enw ar y nant yw **Confoe**. Digwydd yn *Llyfr Llandaf* yn y ffurfiau **Convoe** a **Convoi**.

G.O.P.

Aberhonddu: Brecknock: Brecon

Tref a saif ger y fan lle llifa afon Honddu i afon Wysg yn ne Powys yw Aberhonddu. Dros fil o flynyddoedd yn ôl safai Aberhonddu yng ngwlad Gymreig Brycheiniog, gwlad a enwyd ar ôl y brenin Brychan a oedd yn fyw ynghanol y bumed ganrif.

Ar ôl gorchfygu rhannau helaeth o Dde Cymru yn yr unfed ganrif ar ddeg a'r ddeuddegfed lluniodd y Normaniaid arglwyddiaeth o Frycheiniog a'i galw'n **Brecknock**, eu ffordd hwy o geisio ysgrifennu ac ynganu'r ynganiad lleol Cymraeg ar yr enw — **Brechenog**. Yn ddiweddarach, yn 1536, lluniodd y Saeson sir o'r arglwyddiaeth a'i galw yn **Brecknockshire**.

Aberhonddu oedd prif ganolfan yr arglwyddiaeth Normanaidd ac adeiladodd y Normaniaid gastell cryf yno. O gyfnod cynnar iawn galwodd y Normaniaid a'r Saeson y dref hon hefyd yn **Brecknock** neu **Brechonia** neu **Brecon**. Dros y canrifoedd y ffurf **Brecknock** a arferwyd amlaf a dim ond yn lled ddiweddar y daeth y ffurf **Brecon** yn boblogaidd.

Daliodd y Cymry i arfer yr enw **Aberhonddu**. Yn 1684 cyfeiria Thomas Dinely at y dref fel hyn: *Brecknock called by the vulgar Aberhonddy*. Tueddwn ni i feddwl bod y gair **aber** yn golygu'r fan lle rhed afon allan i'r môr ond gall hefyd olygu — fel yma — y rhan lle rhed afon fechan i un fwy.

Y mae'r enw **Aberhonddu** hefyd yn hen iawn. Arferir ef gan Gerallt Gymro yn 1191. O graffu ar y ffurfiau cynnar gwelir bod newid sylweddol yn y ffurf erbyn canol yr ail ganrif ar bymtheg. Hyd at yr ail ganrif ar bymtheg **Aberhoddni** yw'r ffurf sy'n digwydd yn gyson. O hynny ymlaen **Aberhonddu** yw'r ffurf arferol. Newidiodd yr -dd- a'r -n- eu lle ac aeth yr -i- yn -u- dan ddylanwad du mae'n debyg.

Felly **hawdd** yn golygu 'hawddgar, tirion' yw elfen gyntaf yr enw afon **Honddu** a rhywbeth fel 'yr afon hawddgar, ddymunol' yw'r ystyr. Gellir cysylltu'r enw ag enwau afonydd cyffelyb, megis **Hoddnant** ym Maesyfed, Morgannwg a Phenfro, **Hoddnan** ym Morgannwg a **Hoffnant** yng Ngheredigion. Yn yr enw olaf hwn aeth yr -dd- yn -ff-. Yr enw afon **Hoddni** sydd hefyd tu ôl i'r enw **Llanthony** ym Mynwy. Ffurf wreiddiol yr enw hwn oedd **Llanddewi Nant Hoddni**.

T.R.

Aberpennar: Mountain Ash

Pe gofynnid i'r rhan fwyaf o bobl pa un o'r ddwy ffurf hyn ar enw'r dref adnabyddus yng Nglyn Cynon yw'r hynaf, y tebyg yw mai **Aberpennar** fyddai'r dewis. 'Enw cyntefig y lle oedd Aberpenar' meddai Dafydd Morganwg yn ei *Hanes Morganwg* (1874). Nid cwbl gywir mo hynny, fodd bynnag.

Cyn tua dechrau'r ganrif hon, nid fel enw'r dref y digwydd **Aberpennar** ond, yn llythrennol, fel enw'r man lle mae'r nant **Pennar**, neu **Penarth** yn y ffurfiau cynharaf, yn aberu i Gynon ar ddiwedd ei chwrs i lawr o dir uchel **Cefnpennar**, ac ar ochr ogleddol tro yn yr afon honno: **aber pennarthe** 1570, **Aberpennarth** 1600, **Tir Aber Penarth** 1638.

Ger y tir hwnnw safai plasty teulu Bruce (o 1750) a âi dan yr enw **Dyffryn**, ac ar un adeg ceid **Aberpennar** fel **alias** i'r enw hwnnw hefyd: **Aberpennar alias Dyffryn** 1691, **Dyffrin alias Aberpennar** 1717.

Enw tafarn a godwyd ym mlynyddoedd cynnar y ganrif ddiwethaf mewn man ar y stryd a elwir yn Commercial Street heddiw yw **Mountain Ash**. Amrywiol yw'r sôn am bwy a'i henwodd (John Bruce Pryce, y tirfeddiannwr, medd un ffynhonnell), a phaham (oddi wrth gerdinen a safai gerllaw, medd rhai).

Y mae'r enw yn mynd yn ôl i dridegau'r ganrif, ac yn sicr at **Mountain Ash Inn** y cyfeiria dogfen yn 1852, mewn pentref o ryw chwe chant o dai a oedd ar fin tyfu'n dref ddiwydiannol, ac a enwyd ar ôl y dafarn — a hynny yn is i lawr yr afon na'r **Dyffryn**, ac ar yr ochr orllewinol.

Yr oedd Glanffrwd, yn 1878-88, yn dal i ofidio nad oedd i'r lle 'a adwaenir mwyach wrth ei enw Saesneg, **Mountain Ash**' enw Cymraeg.

Yn ddiweddarach (ac un awgrym derbyniol yw adeg cynnal Eisteddfod Genedlaethol 1905 yno) trosglwyddwyd yr hen enw **Aberpennar** o ochr arall yr afon, i fod yn enw Cymraeg y dref.

Gyda llaw, parthed y ffurf **pennarthe** 1570 a.y.b. ar enw'r nant, dichon mai ffurf amrywiol ydyw ar **pennardd** 'pentir, cefnen o dir', sef tir uchel **Cefnpennar**, lle mae ei tharddiad.

G.O.P.

Aston: Estyn

Dau enw gwahanol sydd yma, am ddau le gwahanol yng Nghlwyd. Y mae **Aston** ar gyrion Penarlâg, ar yr allt sy'n arwain i lawr i gyfeiriad Queensferry; y mae **Estyn** yn enw ar hen gaer ar lan afon Alun gyferbyn â Chaergwrle. Rhyw chwe milltir sydd rhyngddynt.

Saesneg yw'r ddau enw, a'r un tarddiad sydd i'r ddau. 'Y fferm ddwyreiniol' oedd ystyr y geiriau Saesneg sydd wedi datblygu'n **east** a'r **ton** a welir bellach ar ddiwedd enwau lleoedd megis **Norton** 'north-**ton**', **Sutton** 'south-**ton**' a **Weston** 'west-**ton**'.

Y ffurf wreiddiol ar **ton** oedd **tūn** (a oedd yn cael ei ynganu yn debyg i 'toon'). Llecyn wedi ei amgylchu oedd **tūn**, fferm wedi ei chau i mewn. Y mae **zaun** mewn Almaeneg (yn golygu 'ffens') yn perthyn i **tūn**, ac y mae'r ddau yn perthyn i'r **din** sydd yn **dinas** yn Gymraeg. O dipyn i beth tyfodd ambell fferm yn bentref ac yna'n dref, a dyna sy'n rhoi **town** i ni heddiw. Diddorol yw meddwl bod yr un tarddiad i **town** a **dinas**.

Dewch yn ôl at **Aston** ac **Estyn**. Y ffurf arferol ar **east-ton** yn Lloegr yw **Aston**; prin iawn yw **Easton**. Dyma'r **Aston** rhwng Penarlâg a Queensferry, enw sy'n mynd yn ôl i'r wythfed ganrif yn ôl pob tebyg. Sylwch, gyda llaw, nad i'r dwyrain o Benarlâg y mae **Aston**, ond i'r dwyrain o Lys Edwin yn Llaneurgain, canolfan ddigon pwysig i'r Saeson, gan fod yna **south-ton** i'r de ohoni (**Soughton** yn ddiweddarach, neu **Sychdyn** yn Gymraeg — ond stori arall ydy honno).

A yw **Estyn** i'r dwyrain o Gaergwrle? Ydy. Ond pam nad yw'n **Aston**? Yr ateb yw bod y chwe milltir rhwng y ddau le yn fwy na gwahaniaeth daearyddol. Roedd Caergwrle mewn man llawer mwy Cymreig o hen Sir y Fflint, ac er mai'r Saeson a'i disgrifiodd fel yr **east-ton**, ynganiad y Cymry a'i trodd yn **Estyn**.

Digwyddodd rhywbeth yn debyg i'r gair Saesneg **pound** a droes yn **punt** yn y Gymraeg, a **sour** yn **sur**. Felly fe drodd y **tūn** gwreiddiol yn -**tyn** i'r Cymry. Dyma un o nodweddion Sir y Fflint, y Cymreigio ar enwau lleoedd Saesneg megis **Prestatyn** a **Mostyn**.

H.W.O.

10

Y Bala

Tref ar ben gogledd-ddwyreiniol Llyn Tegid ym Meirionnydd yw **Y Bala** fel y gŵyr pawb. Gŵr o'r enw **Tegid** a roes ei enw i'r llyn. Y mae **Tegid** yn fenthyciad o'r enw personol Rhufeinig **Tacitus**. Yr oedd gan y llyn hen, hen enw Saesneg hefyd, sef **Pemmelesmere** 'llyn y cerrig mân' — enw priodol iawn gan mai amrywiad ar **pebble**, sef **pimble**, yw'r elfen gyntaf.

Ond beth am **Y Bala**? Mae'n rhaid mai gair cyffredin Cymraeg yn golygu 'adwy, bwlch' oedd **bala** gynt. Yna daeth i olygu'r fan lle bydd afon yn llifo allan o lyn. Felly cyfeiria enw'r dref yn benodol at y fan lle rhed afon Dyfrdwy o Lyn Tegid.

Y mae perthynas rhwng y gair Cymraeg **bala** a'r gair Gwyddeleg **bél** 'bwlch, aber' ac y mae'r gair hwn hefyd i'w weld mewn enwau lleoedd yn Iwerddon a'r Alban — enwau megis **Bellaugh**, pentref ger Athlone yn Iwerddon a **Bellhaven** yn yr Alban.

Yr oedd mwy nag un **bala** yng Nghymru hefyd. **Bryn y Bala** oedd yr hen enw ar y fan lle rhed afon Saint o **Lyn Padarn** yn Arfon. **Pen-llyn** yw enw'r trigolion arno bellach. **Baladeulyn** oedd hen enw'r afon sy'n cysylltu Llyn Padarn a Llyn Peris. **Baladeulyn** hefyd oedd enw'r afonydd a oedd yn cysylltu llynnoedd Nantlle yn Nyffryn Nantlle ac y sydd o hyd yn cysylltu llynnoedd Mymbyr ger Capel Curig. Yn Llanrhaeadr-yng-Ngheinmeirch yng Nghlwyd yr oedd plasty o'r enw **Bala Hall** ac yn Llandysul yn Nhrefaldwyn yr oedd lle o'r enw **Gwern y Bala**.

Gan mai enw cyffredin oedd **bala** yn wreiddiol, rhaid oedd gosod y fannod **y** o'i flaen mewn enw lle i'w wneud yn benodol. Dyma'r drefn a arferwyd ers canrifoedd gydag enw cyffredin a arferir yn enw lle, a dyma paham y cawn enwau megis **Y Groes, Y Waun, Y Betws, Y Glog** ac **Y Bala** lledled Cymru.

T.R.

Basaleg

Y mae eglwys y plwyf mewn rhai lleoedd wedi ei chysegru i sant arbennig am fod pobl wedi credu mai enw'r sant hwnnw a goffeir yn enw'r lle y saif yr eglwys ynddo.

Ar y gororau, i'r sant **Oswald** y cysegrwyd eglwys **Oswestry**, sef ffurf a ddeilliodd o ffurf Hen Saesneg a roesai **Oswald's tree** mewn Saesneg diweddar (**Osewaldestre** c.1180) ond a Gymreigiwyd erbyn y drydedd ganrif ar ddeg yn **Croesoswallt** (**Croesoswald** 1254), heb reswm digonol dros ddefnyddio **croes** am **tree**.

Credir erbyn hyn mai enw ydyw sy'n cyfeirio at lecyn amlwg i ddangos lleoliad ffin y faenor y saif y lle ynddo, fel llawer enw arall a ddaeth o'r Hen Saesneg ac sy'n cynnwys yr elfen **tree** yn Lloegr, fel **Coventry, Elstree, Braintree** a.y.b. Nid oes iddo arwyddocâd eglwysig cynnar.

Yng Nghernyw, lle ceir **Pendennis** yn cyfateb i'n **Pendinas** ni yng Nghymru, nid yw'n syndod gweld bod eglwys blwyfol ger man o'r enw **Dinas** wedi ei chysegru a'i galw (a'r lle ar ei hôl) yn **St Dennis**.

Am reswm pur debyg y cysegrwyd eglwys **Basaleg**, neu'n gywirach **Baseleg**, yng Ngwent, i'r sant **Basil** ers dechrau'r ddeuddegfed ganrif o leiaf. Y mae yn y fan honno gysylltiad eglwysig cynnar, wrth gwrs. Profir hynny gan enw'r lle, ond nid am fod ynddo unrhyw gysylltiad â neb o'r enw **Basil**, boed sant neu beidio.

Credid unwaith mai ffurf ar **Maesaleg** oedd yr enw hwn, ond flynyddoedd yn ôl bellach dangosodd Syr Ifor Williams mai gair sy'n deillio o'r Lladin **basilica** 'eglwys' yw **baseleg**, gyda'r terfyniad -a wedi affeithio -i- yn -e- dros ddwy sillaf.

Amrywiad ar hwn yw **Basaleg**, a chystal peth ei gadw, pe bai ond er mwyn osgoi'r ynganiad erchyll (fel pe bai'n ddau air Saesneg) a roir i'r ffurf **Baseleg** gan y di-Gymraeg.

Ffurf yr enw yn Iwerddon yw **Baislec**, ac y mae i'w gael yno yn amlach nag yng ngweddill Prydain. Ac eithrio **Basaleg** yng Ngwent, yn yr Alban y ceir yr unig enghraifft arall, a ffurf yr enw hwnnw bellach, yn swydd Renfrew, yw **Paisley**.

G.O.P.

Beaupre: Y Bewpyr

Yma, yn **Old Beaupre** fel y gelwir y lle, ym mhlwyf Sant Hilari, Morgannwg, y saif adfeilion plasty'r Bassetiaid a fu mewn cysylltiad â'r ardal o'r drydedd ganrif ar ddeg ymlaen. Codwyd yr adeilad, fodd bynnag, gyda'i borth mewnol nodedig, yn 1586.

Yn ei ddiwyg Ffrengig, **Beaupre**, fe gam-esboniwyd yr enw yn gyson fel pe bai'n cynnwys yr elfennau **beau** 'prydferth, hyfryd' a **pré** 'maes, dôl'. Cywir yw'r farn hon am yr elfen gyntaf, ond nid felly'r ail.

Bewerpere 1376 yw'r ffurf gynharaf ar glawr, ac fe'i dilynir gan liaws o ffurfiau fel **Y Bewper** 1485-1515, **Beawpier** 1511, **the Bewpere** 1526, **Bowper** 1527, ac yn y blaen, rhai ohonynt, o ffynonellau Cymraeg a Saesneg, gyda'r fannod o'u blaen fel yn y ffurf lafar bresennol, **Y Bewpyr**.

Ymddengys mai rhwng dechrau a chanol yr ail ganrif ar bymtheg y daw'r ffurf **Beaupre** i'r amlwg, ond nid oes dim i awgrymu y dylid ynganu'r -**e** ar y diwedd. Yn wir, y mae'r ynganiad bron â bod yn llafarog, fel mewn geiriau Ffrengig sydd ag -**re** ar y diwedd, fel **vivre, peut-être** a.y.b.

Yr hyn a ddigwyddodd ar lafar gwlad oedd i'r cyfuniad llythrennau hynny fynd yn sillafog, -**er**, -**yr**, yn **Bewper, Y Bewpyr**, gyda **Bew-** yn cynrychioli **Beau** — fel elfen gyntaf. Gellir cymharu **Beaumaris** ym Môn yn mynd yn **Bewmaris** neu **Biwmares** ar lafar.

Ond beth yw ystyr yr ail elfen?

Yn y ffurf gynharaf, **Bewerpere**, y mae'r allwedd. Ei sail yw'r ymadrodd, neu enw Ffrengig pur gyffredin **beau repaire** 'gorffwysfa', neu 'encilfa hyfryd' lle mae dwy lythyren gyntaf yr Hen Ffrangeg **repaire** wedi eu trawsosod, eto ar lafar, ac ymhen amser collwyd y sillaf -**er**- yn llwyr, **Bew(er)per(e)**, i roi'r ffurfiau **Bewper, Bewpyr** a'u tebyg.

Ni ellir hawlio mai dan ddylanwad y Gymraeg y digwyddodd hyn, ac eithrio'r ffurf **Bewpyr**, efallai, gan fod yr enw yn dra chyffredin yn Lloegr. Ceir **Beaupre** yn swydd Huntingdon, **Bewper** yn Surrey a Chaint, **Beaurepaire** wedi aros felly yn swydd Hampshire, a'r un enw, yn wreiddiol, yw **Belper** yn swydd Derby.

G.O.P.

Betws-y-coed

Pentref mawr a phlwyf yn Eryri sy'n denu miloedd o ymwelwyr yn yr haf yw Betws-y-coed. Cofnodir yr enw gyntaf yn 1254 yn y ffurf **Betus**, ond y mae'n amlwg mai ffurf gyffredin yr enw drwy'r Oesoedd Canol oedd **Betws Wyrion Iddon**. Digwydd y ffurf Betws-y-coed gyntaf yn 1545 a dyma ffurf gyffredin yr enw o tua 1675.

Ystyr **wyrion** yn yr enw **Betws Wyrion Iddon** yw 'disgynyddion' ac yn ôl pob tebyg cyfeiriad ydyw at sefydlwyr neu adeiladwyr eglwys y plwyf — disgynyddion rhyw ŵr o'r enw Iddon. Ffurf wreiddiol yr enw Betws Abergele neu Betws-yn-Rhos, Clwyd oedd Betws Wyrion Gwgon. Y mae'n hysbys hefyd i eglwys wreiddiol Betws Gwerful Goch gael ei hadeiladu gan Gwerful Goch ferch Cynan Ab Owain Gwynedd, tywysog Gwynedd, ac iddi o bosib gael ei chladdu yno.

Yn ôl yr arolwg o diroedd y Goron yng Ngogledd Cymru a luniwyd yn 1352 ac a gedwir yng Ngholeg y Gogledd, Bangor yr oedd rhai o diroedd y Goron ym Metws-y-coed ym meddiant disgynyddion Iorwerth, Griffri a Chynwrig ab Iddon. Y mae'n bosibl mai at ŵr o'r enw Iddon ab Ithel ab Edryd y cyfeirir. Yr oedd ganddo feibion o'r enw Cynwrig ac Iorwerth ac yr oedd disgynyddion iddo'n trigo yn Nanconwy yn y cyfnod modern cynnar.

Perthyn rhannau o eglwys bresennol Betws-y-coed i'r bedwaredd ganrif ar ddeg, felly ymddengys y cyfeiria'r enw Betws Wyrion Iddon at eglwys a adeiladwyd gan ddisgynyddion Iddon ab Ithel ab Edryd.

Benthycair o'r gair Hen Saesneg **bed-hūs** 'tŷ gweddi' yw **betws**. Fe ddigwydd yn bur gyffredin mewn enwau lleoedd yng Nghymru — enwau megis **Betws Garmon, Betws Leucu** a **Betws-y-crwyn**. Ond, hyd y gwn, nid yw **bed-hūs** yn digwydd mewn enw lle yn unman yn Lloegr.

T.R.

Boncath

Pentref yng ngogledd-ddwyrain Sir Benfro yw **Boncath**. Enw Cymraeg yr aderyn *buzzard* — aderyn ysglyfaethus sy'n ehedeg yn afrosgo — yw **boncath**. Mae'n bosibl mai **bwncath** oedd ffurf wreiddiol yr enw ac mai'r un **bwn** a geir yma ag yn **aderyn y bwn**, *bittern*. Ymgais yw'r gair i ddynwared y sŵn a wna'r adar hyn, ac ystyr **bwncath** yw 'aderyn sy'n gwneud sŵn fel cath'.

Pam felly y cafodd pentref cyfan enw un aderyn? O graffu ar hen ffurfiau'r enw hawdd iawn yw esbonio hyn. Mewn dogfen o'r flwyddyn 1787 a gedwir yn y Llyfrgell Genedlaethol sonnir am **Tavern y Boncath**. Yn ei gyfrol *A Historical Tour Through Pembrokeshire* a gyhoeddwyd yn 1811 y mae'r hynafiaethydd Richard Fenton (1747-1821) yn sôn am fynd heibio i **Tavern y Bwncath**. Enw tafarn felly oedd **Tafarn y Bwncath** yn wreiddiol — tafarn a alwyd yn **Boncath Inn** mewn oes ddiweddarach. Dros amser collwyd y gair **tafarn** o'r enw ond tyfodd yr elfen olaf, **boncath**, yn enw ar y pentref lle safai'r dafarn.

Digwydd enwau anifeiliaid ac adar pur gyffredin mewn enwau hen dafarnau yng Nghymru ac y mae'n debyg fod arwydd yn dangos llun yr anifail neu'r aderyn yn crogi y tu allan i'r dafarn gynt. Yn Lloegr enwau anifeiliaid ac adar herodrol — rhai a ddigwydd ar beisiau arfau boneddigion — a geir ran amlaf a dyma sydd tu ôl i enwau megis *The White Lion, The Eagle and Child, The Unicorn, The Talbot* (ci du). Ceir enwau cyffelyb yng Nghymru wrth gwrs ond sylwais ar yr enwau tafarnau canlynol o bob rhan o Gymru sy'n cynnwys enwau adar, anifeiliaid ac un pysgodyn pur gyffredin: **Tafarn Ditw**, (Llan-y-cefn, Penfro); **Tafarn Hwyaid**, (Carreg-lefn, Môn); **Tafarn y Brithyll**, (Ystradmeurig, Ceredigion); **Tafarn y Cornicyll**, (Llanwenog, Ceredigion); **Tafarn y Gath**, (Llandegla, Dinbych); **Tafarn y Gwybedyn**, (Meirionnydd); **Tafarn y Piod**, (Llwchwr); **Tafarn yr Hwch**, (Llangurig, Trefaldwyn).

T.R.

Y Brombil

O droi i'r dde ar yr A48 wrth fynd o Gaerdydd i Bort Talbot, gyferbyn â gwesty adnabyddus y Deuddeg Marchog ym Margam, rhed y ffordd dan yr M4 i bentref bychan **Y Brombil** yng ngenau cwm bychan, **Cwm y Brombil**, sy'n agor i mewn i'r bryniau ar ochr ogleddol y ffordd.

Gan fod y fannod Gymraeg yn cael ei defnyddio ar lafar yn yr enw hwn hawdd cael yr argraff ei fod yn enw Cymraeg sy'n cydymffurfio â phatrwm nifer o enwau lleoedd yn dechrau â -b-, fel **Y Barri, Y Bala**, a.y.b. ond camgymeriad fyddai credu hynny, er ei bod yn dra phosibl mai cydweddiad â'r enwau hynny a barodd i'r fannod Gymraeg ymddangos.

Fel bron pob un o'r mân gymoedd hyn yn yr ardal, coediog a phur anghysbell ydoedd (sonnir am **fforest y Brombil** yn 1711, 1736) gydag ambell ffermdy unig yma a thraw, cyn i'r gwanc am lo a mwynau dreiddio i'w eithafion yn y ganrif ddiwethaf.

Yr oedd glofa gynt ym mhen draw'r cwm, a ffermdy'r **Brombil**, heblaw'r pentref sy'n dwyn yr enw **Bromehill** yn 1551. Dyna'r allwedd i iaith ac ystyr yr enw, sef y Saesneg **broom** 'banadl' + **hill**, bryn neu lechwedd lle tyfai banadl yn ddigon toreithiog i fod yn nodwedd amlwg ar y lle.

Enw disgrifiadol Saesneg, felly, gyda'r mwyaf cyffredin yng Nghymru a Lloegr fel ei gilydd, gyda **Bryn Banadl**, fel yn **Bryn Banal** rhwng Pontyberem a Llan-non, yn ffurf Gymraeg gyfatebol; ceir **Cae banal**, a **Banhadlog, Y Fanhadlog** a.y.b. hefyd yn dra chyffredin.

Datblygiad Saesneg yw twf y -b- ganolog. Yr oedd eisoes wedi digwydd yn **Brombell** 1540, **Brombil** 1543, **Brombile** 1544, mewn cysylltiadau lle dilynir -m- gan lafariad (yma ar ôl colli'r -h- ar lafar) yn union fel y tyfodd yn y gair **bramble** 'mwyaren' o'r Hen Saesneg **bremel** sydd, fel y mae'n digwydd, o'r un gwraidd â **broom**.

I'r dwyrain, safai pentref bach **Y Groes**, gyda'r capel enwog a chwalwyd pan adeiladwyd y draffordd, ac at hwn y cyfeiria **Cross-Brombil** 1756-7 yng nghofnodion ysgolion Griffith Jones, Llanddowror, gan mai **Brombel Cross** a geir ar fap Emanuel Bowen yn 1729.

Brombil Brook yw enw'r nant a red i lawr y cwm ar y map, ond ganrifoedd cyn hynny **Yr Annell (Eiriannell)** oedd ei henw, y ceir arlliw ohono yn ffurf enw'r heol, **Rhanallt Street** yn y Tai-bach.

G.O.P

Brwnt

Y mae englyn gwych Hoffnant (Daniel Stanley Owen) i'r **Bwbach Brain** (y bwgan brain) yn cychwyn â'r llinell:

Bwgan brwnt ar begwn brau —

Byddai ystyr y llinell hon, 'bwgan budr gwael ar bolyn bregus' yn amlwg i bob Deheuwr ond ni fyddai mor glir i rywun o'r Gogledd. Ystyr **brwnt** yn gyffredin yn y Gogledd a rhannau o'r Canolbarth yw 'creulon, cas'. Dywedir bod rhywun sy'n defnyddio geiriau creulon â 'thafod front' ganddo neu fod rhywun yn 'frwnt' pan maent yn cam-drin plant. Hyd y gwn, ni ddefnyddir **brwnt** yn yr ystyr 'budr, aflan' yn y Gogledd o gwbl.

Fodd bynnag, yr ystyr deheuol sydd i'r gair **brwnt** fel y'i cofnodir gyntaf yn y Gymraeg. Mewn un llawysgrif o'r bymthegfed ganrif sonnir am 'anadl brwnt' ac mewn un arall o'r ganrif ddilynol sonnir am furgyn 'brwnt drewedig'. Hyd y gwn ni ddigwydd **brwnt** yn yr ystyr 'creulon' hyd ail hanner y ddeunawfed ganrif.

Felly o ble y daeth y gair **brwnt** i'r Gymraeg a pham mae yna gymaint o wahaniaeth yn ei ystyr yn y De a'r Gogledd? Ni chynigir unrhyw darddiad ar ei gyfer yng *Ngeiriadur Prifysgol Cymru* ac nid oes yna air cyffelyb yn y Lydaweg, y Gernyweg na'r Wyddeleg hyd y gwn. Bûm yn tybio ers tro byd mai benthycair oedd **brwnt** o'r gair Saesneg **brunt**, ond nid yw ystyr y ddau air yn debyg iawn ac nid yw'r gair Saesneg yn cael ei ddefnyddio'n ansoddair yn unman. Erys tarddiad y gair felly yn ddirgelwch o hyd ond y mae'n bosibl fod yr ystyr a geir yn y Gogledd yn ddatblygiad o'r ystyr yn y De.

Fe ddigwydd **brwnt** mewn ambell enw lle hefyd. Ceir **Cae-brwnt** yn Abergele ac **Y Fron-front** yn Llansannan. Yma ym Mangor ac yn y Felinheli fe ddigwydd yr enw **Buarth-brwnt**. Tybed a yw'r enwau hyn yn cyfeirio at fuarthau aflan, budr a bod yma ddwy enghraifft brin o **brwnt** yn golygu 'budr' yn y Gogledd?

T.R.

Y Bugail, y Porthor a'r Ebolion

Oddi ar arfordir gogleddol Môn ger Cemlyn saif ynys fechan allan yn y môr — ynys a gafodd yr enw **Maen y Bugail** yn Gymraeg a **West Mouse** yn Saesneg.

Dywed traddodiad lleol fod yr ynys gynt yn rhan o Fôn ac y byddai bugail yn gorffwys yno ac yn gwylio'i braidd. Un dydd rhuthrodd y môr i mewn gan foddi'r tir — a'r bugail! Gadawyd y maen yn ynys allan yn y môr a chafodd yr enw **Maen y Bugail**.

Go brin y gellir derbyn y chwedl. Yn hytrach, perthyn yr enw i batrwm o enwau creigiau ac ynysoedd a gafodd eu henwau am eu bod yn debyg i ddynion neu anifeiliaid. Gwelir y patrwm hwn yn gyffredin yng Nghymru, yng Nghernyw ac yn Llydaw. Ceir enghreifftiau tebyg o enwau Saesneg ar greigiau ac ynysoedd ym Mhrydain hefyd.

Heb fod ymhell o **Faen y Bugail** saif nifer o greigiau geirwon allan yn y môr. **Harry Furlong's Rocks** yw'r unig enw arnynt erbyn heddiw. Yn ddiau sylwodd rhywun yn rhyw oes fod **Maen y Bugail** a'r creigiau hyn yn edrych yn debyg i fugail a'i braidd allan yn y môr, a galwyd yr ynys yn **Faen y Bugail**.

Y mae **Maen Bugail** hefyd yn enw ar ynys fechan ger Ynys Enlli ac y mae'r gair cytras Cernyweg **bugel** hefyd yn digwydd yn enwau creigiau ger Ynysoedd Scilly, megis **Biggal of Gorregan** a **Biggal of Mincarlo**.

Ar arfordir gogleddol Llŷn, ym mhlwyf Aberdaron, saif traeth a elwir bellach yn **Porth Oer**. Yn sicr **Porthor** 'y gwyliwr' oedd ffurf wreiddiol yr enw hwn ac y mae'r enw'n cyfeirio at graig enfawr sy'n sefyll megis porthor ger pen gogleddol y porth. Ychydig ymhellach i'r de y mae porth arall a gafodd yr enw **Porthorion**. Mae'r enw hwn bron yn sicr yn cyfeirio at ddwy graig enfawr **Dinas Fawr** a **Dinas Fach** sy'n sefyll yn y môr gerllaw megis gwylwyr. Oddi ar arfordir Llangadwaladr ym Mae Malltraeth ym Môn saif craig a gafodd yr enw **Caseg Falltraeth**. Perthyn yr enw hwn i batrwm cyffelyb, sef enwau creigiau sy'n debyg i ryw anifail neu anifeiliaid. Ar ganol y graig hon y mae hollt ac wrth i'r môr ruthro trwy'r hollt mewn storm clywir sŵn uchel a rhyfedd. Bryd hynny dywedir yn lleol bod 'Caseg Malltraeth yn gweryru'. Y mae hyn bob amser yn arwydd o dywydd drwg. Rhwng y graig a'r tir mawr y mae nifer o greigiau llai a enwyd **Yr Ebolion**.

T.R.

Cefncelfi

Ail elfen yr enw hwn sy'n ennyn chwilfrydedd y sawl a fu'n holi amdano.

Enw fferm yw **Cefncelfi** sy'n sefyll ar gefnen amlwg o dir a roes yr enw iddi, ym mhlwyf Cilybebyll, Morgannwg, ger pentre'r Rhos, ac yn agos i'r Alltwen a Phontardawe.

Y mae'r enw yn hen iawn. Fe'i ceir mewn englyn yn y gyfres enwog a adwaenir fel Englynion y Beddau, yn *Llyfr Du Caerfyrddin*, sy'n cofnodi lleoliad beddau tri o wroniaid hynafol na wyddom ddim amdanynt ond eu henwau, Cynon, Cynfael a Chynfeli, yn **Kewin Kelui** (yn orgraff y *Llyfr Du*), lle mae **cefn (kewin)** yn amlwg yn ddeusill, fel yn yr ynganiad llafar, **Cefencelfi**.

Er bod ysgolheigion yn barnu erbyn hyn mai o tua chanol y drydedd ganrif ar ddeg y mae'r llawysgrif yn dyddio, barn y diweddar Athro Thomas Jones oedd y gall yr englynion fod yn seiliedig ar draddodiadau sy'n mynd yn ôl i'r nawfed a'r ddegfed ganrif. Ef hefyd a eglurodd arwyddocâd yr elfen **celfi** yn yr enw.

Nid ffurf luosog ar y gair **celf** mohono (talfyriad o **celfyddyd** yw hwnnw), ond enw unigol neu dorfol sydd ag iddo'r un gwraidd â'r Wyddeleg **colba**, 'piler, post', a'r Lladin **columna**, a roes **colofn** i ni.

Ar **Gefncelfi** y mae dwy garreg hirfain yn sefyll, y naill a'r llall mewn caeau cyfagos, ac fe gafwyd tystiolaeth bur sicr fod yno dair o'r meini hynny ar un adeg. Y mae'r ddwy sydd ar ôl wedi colli eu pennau, fel petai, lle'r oeddynt unwaith yn debyg o fod tua phum troedfedd o hyd.

Yn ôl eu diwyg, y maent yn debyg i rai o'r meini hirion hynafol hynny a welir ar hyd a lled y wlad, er nad oes arnynt unrhyw addurn nac arysgrif a fyddai'n cadarnhau eu defnydd fel cerrig beddau cyntefig.

Fodd bynnag, y mae bodolaeth hen draddodiadau lleol am y meini hyn yn hysbys, a chynnig yr Athro Thomas Jones oedd mai'r cerrig hyn a saif ar **Gefncelfi** a roes eu henw i'r lle, ac mai traddodiad cynnar amdanynt fel cerrig beddau sy'n cyfrif am gynnwys yr englyn yn y *Llyfr Du*.

Prin fod lle i amau ei ddamcaniaeth, a'r tebyg yw mai ystyr dorfol sydd i **celfi** yn y cyswllt hwn, ac mai 'cefn (y) colofnau' neu 'gefn (y) meini hirion' yw ystyr yr enw.

G.O.P.

O Gefnpali i Gefn Sidan

Enw tyddyn ar lethrau Mynydd Parys ger Amlwch, Môn yw **Cefnpali**. Cofnodir yr enw o ddechrau'r bedwaredd ganrif ar bymtheg, ond mae'n rhaid ei fod yn llawer iawn hŷn na hynny. **Cefn** 'cefnen o dir, *ridge*' yw elfen gyntaf yr enw. Ystyr **pali** yw 'math o ddefnydd sidan main, meddal'. Benthycair yw **pali** o'r Hen Ffrangeg **palie**. Fe ddigwydd yn bur aml yn chwedlau Cymraeg yr Oesoedd Canol ond, o'r ail ganrif ar bymtheg ymlaen, gair a geir mewn geiriadur yn unig, heblaw am un neu ddwy o enghreifftiau, yw **pali**.

Yn y cyswllt yma rhaid fod **pali** yn cyfeirio at laswellt neu rhyw dyfiant arall a dyfai ar y gefnen ger **Cefnpali** ac a ymddangosai fel sidan o bell. Dyma'r unig enghraifft o'r gair **pali** mewn enw lle yng Nghymru hyd y gwn.

Enw ar draeth neu draethell ger Pen-bre yn Sir Gaerfyrddin yw **Cefn Sidan**. Yma, mae'n debyg fod y tywod yn ymddangos fel sidan o bryd i'w gilydd yn enwedig ar drai'r llanw efallai. Fodd bynnag fe ddigwydd yr elfen **sidan** mewn nifer helaeth o enwau lleoedd eraill yng Nghymru ac y mae'n debyg fod **sidan** hefyd yn golygu 'glaswellt' neu dyfiant sidanaidd yr olwg mewn nifer o achosion, yn union fel y digwydd **pali** yn **Cefnpali**.

Yn Heiob, Brycheiniog, Llanbedr Felffre a Llansanffraid Glyndyfrdwy ceir enghreifftiau o'r enw **Waunsidan**. Ym Modelwyddan fe ddigwydd yr enw swynol **Gweirgloddsidan** ac yn Llangoedmor ceir yr enw **Parcsidan**.

Y mae'r gair **sidan** hefyd yn digwydd mewn enwau planhigion sidanaidd yr olwg megis **Sidan y Brain**, (*Conferva, Hair-weed*) a **Sidan y Waun**, (*Eriophorum, Cottongrass*).

Ym mynwent Llanrwst fe dyfai math arbennig o laswellt hir, sidanaidd a cheir cyfeiriad penodol ato yn yr englyn coffa enwog hwn gan Trebor Mai (1830-1877) i'r Dr William Hughes:

> I'w fedd anrhydedd fyddo — sidanwellt
> Ymestynwch drosto;
> Awelon dowch i wylo
> I'r fan wael er ei fwyn o.

T.R.

Cefnydfa

Bu sôn am y ffermdy enwog hwn ym mhlwyf Llangynwyd mewn sgwrs â chyfeillion ynglŷn â'r stori apocryffaidd am Wil Hopcyn a'r Ferch o Gefnydfa. Saif y fferm hon eto ar gefnen o dir amlwg, ond yr hyn a'm trawodd i yw fod y gred yn parhau mai rhywbeth i'w wneud ag ŷd, rhyw fath o storfa ŷd, a welir yn yr ail elfen, **ydfa**.

Nid bod yr awgrym hwnnw ymhell iawn o'i le, cyn belled ag y mae'r ystyr yn y cwestiwn, ond nid **ŷd** yw ei sail. Yn hytrach, y gair **cnwd**, a all fod yn gynnyrch unrhyw blanhigyn.

Y mae mwy o dystiolaeth ddogfennol erbyn hyn yn cadarnhau cynnig Melville Richards, a wnaed dros ddeng mlynedd ar hugain yn ôl, i'r perwyl hwnnw.

Ceir y ffurf gynharaf ar yr enw gan yr hen hynafiaethydd Rhys Amheurig o'r Cotrel yn 1578, **Keven y guydva** (lle mae'r -u- yn debyg o fod yn wall am -n-) er ei bod yn bosibl mai at y fferm hon y cyfeirir hefyd yn y ffurf **Keven y gynnyd** mewn arolwg o feddiannau Iarll Penfro yn 1570 (lle mae'r -fa- terfynol wedi ei hepgor gan ysgrifwr di-Gymraeg).

Yna, yn gyson mewn dogfennau o'r ail ganrif ar bymtheg ceir **Keven y Knydva, Keven gnydva, Keven y Knidva**, a.y.b. hyd tua thridegau'r ddeunawfed ganrif pan ddaw **Kevenydva**, sef **Cefnydfa**, i'r amlwg gan golli'r -g- oherwydd bod y ddau gyfuniad cytseiniol -fn-gn- yn digwydd mor agos i'w gilydd, yn ôl pob tebyg.

Ni restrir **cnydfa** yng *Ngeiriadur Prifysgol Cymru*, ond ceir yno nifer o ansoddeiriau a ffurfiwyd ar sail yr enw **cnwd**, fel **cnydiog, cnydfawr, cnydlon** neu **cnydlawn**, a **cnydiol**, a'r ferf **cnydio, cnydu**, ac felly gellir derbyn awgrym yr Athro Richards bod yr enw **cnydfa** yn ffurf dra phosibl, gyda'r ystyr 'lle ffrwythlon, toreithiog'. Enghraifft dda o enw lle yn cynnwys gair nad oes tystiolaeth lenyddol ohono.

Ac nid hon yw'r unig enghraifft. Ym mhlwyf Pendeulwyn ym Mro Morgannwg, ceir **Kayr Knydva 1560**, a digwydd yn gynharach fyth, 1538, yn rhestr Melville Richards o ffurfiau **Dolgnydfa** (Llangeler). Ceir **Cnydfa** ym mhlwyfi Llandinam a Llanelli, a **Gelli'r Gnydfa** ym mhlwyf Llanegryn, Meirionnydd. Gwelais innau gyfeiriad at dir ym mhlwyf Bochrwd, Brycheiniog, yn 1629 a 1654, o'r enw **Y Kynydva**, lle ceir yr -y- ymwthiol gyffredin lafar rhwng -c- a n-.

G.O.P.

21

Celydd Ifan

Wrth drafod yr enw **Cefncelfi**, ym mhlwyf Cilybebyll, Morgannwg, (t.19) fe ddyfynnwyd barn y diweddar Athro Thomas Jones mai cyfeirio yr oedd y ffurf luosog **celfi** at ddwy o feini hirfain (lle'r oedd tair gynt) ar gefnen amlwg o dir. Hynny yw, mai ffurf luosog yr hen air **celf** 'piler, colofn' ydoedd, ac nad oedd dim cysylltiad o gwbl rhyngddo â'r gair modern **celf** (sy'n dalfyriad o **celfyddyd**).

Er hynny, dichon fod rhyw chwilen 'gelfyddydol' unwaith yn cyniwair ymhlith gwŷr y mapiau ac arolygwyr stadau wrth drin enwau lleoedd Morgannwg, gan mai **Celfyddifan** yw ffurf bresennol yr enw sydd dan sylw ar y map ac yn gyson yn y dogfennau o tua dechrau'r ddeunawfed ganrif ymlaen.

Kelvydd Ievan 1703, **Celvydd Ievan** 1755, 1784, 1793, **Celfydd Ifan** ar fap modfedd-i'r-filltir cyntaf Swyddfa'r Ordnans, 1833, a'r rhelyw mawr o bapurau'r Llywodraeth wedi hynny.

Rhannwyd tir y daliad gwreiddiol i ffurfio dwy fferm, yr **uchaf** a'r **isaf**, ar y tir uchel sy'n gwahanu Cwm Llynfi a chwm bychan Nant Cedfyw ym mhlwyf y Betws, ac y mae lle i amau mai **Llety Domos** (y ceir mwy nag un enghraifft ohono ym Morgannwg) oedd ei enw ar un adeg.

Kellyth Jevan alias Llety Thomas a geir mewn arolwg yn 1570, yna **Kelydd Ievan** 1630, **Kelidd Jevan** 1695-1709, **Celydd Ieuan** 1794 a.y.b. heb arlliw o'r -**f**- ganolog yn yr elfen gyntaf. Dyma'r ffurf gywir.

Y mae **celydd** yn edrych fel pe bai yn ffurf luosog, ond nid cywir fyddai credu hynny er bod Iolo Morganwg wedi llunio ffurf 'unigol' newydd, **câl**, na welodd fawr o gylchrediad, yn ôl pob golwg. Yn hytrach, enw gwrywaidd unigol yw **celydd**, a'i ystyr yw 'llecyn coediog cysgodol, deildy' sy'n cyfateb i **bower** yn Saesneg.

G.O.P.

Cemais

I mi, pentref glan môr ar arfordir gogleddol Môn yw **Cemais**, ond y mae'r enw hwn hefyd yn digwydd mewn nifer o fannau eraill yng Nghymru ar yr arfordir ac ar lawr gwlad o Feirionnydd i Drefaldwyn ac o Benfro i Fynwy. Fel arfer heddiw y sillafiad anghywir **Cemaes** a welir amlaf am i bobl dybio bod cysylltiad rhwng yr enw a'r gair **maes**. Fodd bynnag, nid **Cefnfaes** oedd ffurf wreiddiol yr enw **Cemais** fel yr awgrymodd rhai ac nid oes a wnelo'r enw ddim â'r gair **maes**. Yn hytrach, amrywiad ydyw, neu yn fwy tebygol ffurf luosog y gair **camas** 'tro mewn afon, cilfach o fôr, bae'. Y mae cysylltiad rhwng y gair **camas** a'r gair Gwyddeleg **cambas** 'tro mewn afon', a daw o'r un gwreiddyn â'r gair Cymraeg **cam** 'crwm, gŵyr, crwca'.

Pan ddigwydd **Cemais** yn enw lle ar neu ger yr arfordir, yna cyfeiria at gilfachau ar yr arfordir. Dyma yn sicr yw ystyr yr enw ym Môn ac ym Mhenfro. Ond, fe all **cemais** hefyd gyfeirio at droadau mewn afon mewn ardal sydd ymhell o'r môr. Cyfeiria'r enw **Cemais** yn Sir Drefaldwyn, o bosibl, at ddolennau ar afon Dyfi.

Fe ddigwydd yr elfen **cemais** mewn cyfuniad ag elfennau eraill mewn enwau lleoedd weithiau. Ger Edern ar arfordir gogleddol Llŷn saif fferm o'r enw **Cwmistir**, ond dengys hen ffurfiau o'r enw mai **Cemeistir** oedd y ffurf wreiddiol — cyfuniad o'r elfennau **cemais** a **tir**. Cyfeiria'r enw bron yn sicr at gilfachau ar yr arfordir.

Y mae ffurf unigol yr elfen, **camas** hefyd yn digwydd mewn ambell enw lle. Llifa **afon Camas** trwy blwyf Llangernyw ac y mae lle o'r enw **Camas-y-dre** yn Ystradgynlais.

T.R.

Cilibion

Cillibion ar y map, ffermdy ym Mhenrhyn Gŵyr ar ymyl y ffordd o Lanrhidian i Gilâ (Killay) ac Abertawe, ger y man lle mae'r ffordd dros Gefn-bryn o Reynoldston yn ymuno â hi. Cysylltir yr enw hefyd â dwy fferm gyfagos erbyn hyn, ac â phlanhigfa goed.

Yn yr Oesoedd Canol dyma leoliad un o ffermydd allanol (y **grange** Saesneg) Mynachlog Nedd.

Nodwedd amlycaf yr ardal yw ei llymder a'i natur gorsiog wleb. Llethrau Cefn-bryn ar y naill law, gyda'r **Broad Pool** ac enwau lleoedd eraill o gwmpas yn dweud yr un stori, fel **Wernhalog, Welsh Moor, Pen-rhos, Pen-gwern** a'u tebyg.

Nid syndod, felly, yw canfod nad **cil** 'cilfach, congl' yw elfen gyntaf yr enw ond **celli** 'llwyn, coed'. Awgrymir hyn gan y ffurf gynharaf ar glawr, **Kynthylibian** 1339, ac fe'i cadarnheir gan y ffurfiau diweddarach, **Kellylybyan** 1535, **Kelly lybyon** 1557, **Kelly libion** 1583 a.y.b.

Enw benywaidd unigol yw **celli, y gelli**, a chan amlaf fe'i dilynir gan ansoddair neu enw unigol mewn ffurf gyfansawdd fel **(Y) Gellidywyll, Gellionnen, Gelli-gron** a.y.b.

Ond yma, ffurf luosog yr ansoddair **gwlyb**, sef **gwlybion**, i ddisgrifio'r safle, gyda threiglad meddal **-g-** ar ôl enw benywaidd, yw'r ail elfen. O'i rhoi mewn orgraff ddiweddar, **Celliwlybion** fyddai'r ffurf wreiddiol, ac fe geir hynny yn 1697 ac 1726.

Dengys hyn fod tuedd weithiau i edrych ar **celli** fel enw torfol, dan ddylanwad y terfyniad **-i-** sydd fel arfer yn derfyniad lluosog.

Digwydd hyn hefyd yn yr enw **Gellihirion** ym mhlwyf Eglwysilan ger Glan-bad (Upper Boat) o'i gymharu â'r **Gelli-hir** hynod gyffredin. Yn wir, ceir **Gelli-wlyb** yn ardal Crai, Brycheiniog.

Cyfnewidiad llafar o'ffurf fel **Cellilibion** yw **Cilibion** trwy i **-e-** y sillaf gyntaf ymdebygu i'r ddwy **-i-** sy'n dilyn, ac yna un o'r sillafau **-li-** yn cael ei cholli.

G.O.P.

Cimla

Cafwyd mwy o ymholiadau ynghylch yr enw hwn ar un o faestrefi Castell-nedd adeg eisteddfod Glyn Nedd y llynedd (1994) nag odid yr un enw arall yn yr ardal.

Wedi'r Oesoedd Canol, wrth i'r dref dyfu, yr oedd ei ffiniau erbyn yr ail ganrif ar bymtheg yn estyn yn fras i'r dwyrain o eglwys Llanilltud a Nant Illtud (neu Ffos-y-gwŷdd) dros Gefn Saeson mewn hanner cylch go fawr i lawr i Gwrt Sart ac afon Nedd.

Cynhwysid y **Cimla** o fewn y ffin honno, a gair ydyw sy'n golygu 'cytir, tir comin'. Yn yr achos hwn, lle'r oedd gan y bwrdeiswyr hawl i droi eu hanifeiliaid i bori arno, yn ôl pob tebyg.

Er bod ei ystyr yn glir, nid mor glir yw ei darddiad, ac y mae ei ffurf yn amrywio o le i le.

Nodir **cimle, ceimle**, yng *Ngeiriadur Prifysgol Cymru*, gyda'r awgrym mai'r elfen **cim** sy'n cynnal y syniad o 'gytir, comin', gan nodi **Cim, Pont-y-cim, Efail-y-cim** a'u tebyg ymhlith enghreifftiau niferus sydd i'w cael yn y Gogledd.

Bid a fo am hynny. Awgrymir hefyd mai'r ffurf wreiddiol bosibl oedd **cimne**, gyda therfyniad anhysbys, a aeth yn **cimdda** a **cimla** ar lafar (fel gyda'r ffurfiau llafar **simne, simdda** [**simdde**] a **simle**).

Ceir **Y Cimdda** yn enw ar gomin Llantrisant (**Kinme** yn 1578, sef ffurf ar **cimne**, trwy drawsosodiad) a chomin Llandaf gynt (**Kimtha** 1709, **Kimdda Bach** 1730).

Amrywiad llafarog ar hwn yw **Cymdda**, sy'n gyffredin ym Mro Morgannwg, fel yn **Coed y Cymdda**, Gwenfô, a Lecwydd, **Cymdda Mawr**, Llwyneliddon a.y.b., a cheir **cymla** am **cimla** weithiau, a aeth yn **cymyla** ym mhlwyf Saint-y-brid (a'i gam-esbonio fel **cymylau!**)

Os yw'r tarddiad a awgrymir yn y Geiriadur yn gywir, paham, tybed, y ceir y ffurfiau **Kymvey** 1669-73, 1730 (? **cymfai, cymfei**) fel ffurfiau cynharaf y **Cymdda** yn ymyl Gwenfô?

Ai'r rhagddodiad **cym-, cyf-**, sy'n arwydd o gyd-berthynas neu gymesuredd, gyda'r hen ffurf **mei, mai**, ffurf draws **ma** 'maes, tir gwastad' sydd yma, gyda **cymfei, cymfai** yn mynd yn **cymfa** a **cymdda** ar lafar fel yr aeth **camfa** 'sticil' yn **camdda**?

Pwy a ŵyr?

G.O.P.

25

Cleidda

Clytha yw'r ffurf a welir ar yr enw hwn ar y mapiau, a digwydd yn ei gynefin fel enw ffermydd, hen gapel anwes nad yw'n sefyll bellach, plasty a'i barc y rhed y ffordd o Raglan i'r Fenni drwyddo, a thafarn sy'n fwyty adnabyddus, y **Clytha Arms**. Y tebyg yw mai fel enw capelaeth, dan eglwys Llanarth Fawr, y daw i'r amlwg gyntaf.

Cynrychioli'r **-dd-** Gymraeg y mae **-th-** yn y ffurf a Seisnigwyd yn **Clytha**, sef yr **-th-** 'feddal' a geir yn **this** a **that**, ac fel y seinir hi yn y ffurfiau gwallus **Aberthaw, Llantrithyd,** a **Llanblethian**. Cam pellach, yn union fel y ceir **Mydrim** am **Meidrim**, yw'r llafariad Seisnig **-y-** i gynrychioli'r ddeusain Gymraeg **ei**.

Dengys ffurfiau cynharaf yr enw bod iddo sillaf gyntaf sydd wedi ei cholli yn ddiweddarach: **Kylitha** 1256-7, **Kelitha** 1325, **Kyllytha** 1347-1572 a.y.b. cyn i **Betws Clidda** ymddangos yn y bymthegfed ganrif mewn un llawysgrif, ac yna **Cletha** 1511, **Clitha Clytha** 1543-68 a.y.b.

Yn union i'r de y mae plwyf y Betws Newydd, sef **Betws Aeddan** yn ôl traddodiad sydd hefyd yn dal mai **Capel Aeddan** oedd enw gwreiddiol y capel a safai ar dir **Chapel Farm**, Cleidda.

Nid oes modd gwireddu hyn oddi wrth y ffurfiau cynnar ar yr enw a nodwyd uchod, ond nid cwbl annerbyniol fyddai credu mai'r enw personol **Aeddan** yw'r ail elfen. O golli'r **-n-** derfynol (ac y mae hynny'n digwydd mewn nifer o enwau) gallai **-aedda(n)** roi **-eidda** (ac **-idda** ar lafar yn y Wenhwyseg).

Ond beth am yr elfen gyntaf? Anod̄ gweld dwy sillaf **capel**, yn y ffurf **Capel Aeddan**, dyweder, yn cael eu cywasgu i adael dim ond **cl-** yn **Cleidda**. Haws fyddai derbyn colli'r llafariad mewn ffurf fer fel **cil**, sef **Cil-aeddan** yn rhoi **Cleidda**.

Er mai 'cilfach, congl, cornel' yw ystyr arferol **cil** (weithiau 'tarddell nant') mewn enwau lleoedd, nid cwbl anghymwys fyddai ei gael mewn ystyr gysylltiol, 'lle o'r neilltu, *retreat*', mewn cysylltiadau eglwysig fel yn **Cilybebyll, Cilgwrrwg,** a.y.b. gydag enw cyffredin neu enw personol.

Pa fodd bynnag, ansicr iawn yw'r cyfeiriadau at **Aeddan** yn y ffynonellau cynnar. Mae mwy nag un posibilrwydd, ac un ohonynt yw'r **Aedan** Gwyddelig, esgob Ferns, a fu farw yn y flwyddyn 626, y dywedir iddo fod yn ddisgybl i Dewi yn ei ddyddiau cynnar.

G.O.P.

Coedarhydyglyn

Yn ddiweddar[*], achosodd cyhoeddi'r newydd trist am farwolaeth y bonheddwr hynaws, Syr Cennydd Traherne, gŵr â chanddo ddiddordeb anghyffredin a deallus yn enwau lleoedd ei hoff Fro Morgannwg, beth trafod ynglŷn ag enw ei gartref ym mhlwyf Sain Siorys.

Does dim amheuaeth mai diweddar iawn yw ffurf yr enw fel y mae heddiw, a'i bod wedi ei llunio i geisio rhoi ystyr i ffurf nad oedd mor rhwydd i'w deall. Hefyd, o gofio lleoliad yr hen breswylfod ar y gefnen uwchben cartref diweddarach Syr Cennydd (nas codwyd hyd 1830), prin fod **Coedarhydyglyn** yn gwneud llawer o synnwyr 'chwaith.

Rhywbeth fel **Codriglan** (yr acen ar yr ail sillaf) oedd yn ynganiad lleol bob amser, ac y mae'r ffurf **Coedriglan** yn digwydd yn gyson mewn amryw byd o ffynonellau ar ddechrau'r ganrif ddiwethaf, gyda'r amrywiad **Coedr(h)yglan**, a'r ffurf honno oedd sail mwy nag un esboniad ar yr enw hyd yn gymharol ddiweddar.

'*Coedryglan, signifying* **Rye-hill-wood**' meddai'r hen hynafiaethydd B.H. Malkin (1803), a llawer o wŷr tra dysgedig ar ei ôl. Hynny yw, **coed + rhyg** '*rye*' + **glan** yn yr ystyr 'cefnen o dir'.

Pa fodd bynnag, y gwir yw mai enw Saesneg ar goed yn yr ardal ydyw yn wreiddiol, a'r ffurf gynharaf a welwyd hyd yma yw **Reglines Wood** 1540 mewn arolwg tir, ac y mae'r elfen gyntaf wedyn yn ymddangos fel **Reglinge** 1570, **Ragling, Rigeley** 1572, **Riglyn, Riglin** 1578 gan Rhys Amheurig, dan '*woodes*', **Raglande** 1591 a **Raglan** 1597-8.

Sefyll am y cyfenw teuluol **Raglan** (fel yn 1591 a 1597-8) y mae'r elfen hon. Yr oedd nifer o deulu Syr John Raglan, Carnllwyd a Llanilltud (fl.1521) yn dal cryn dipyn o eiddo ym mhlwyfi Sain Nicolas, Sain Ffagan, Sain Siorys a Llanfihangel ar Elái tua chanol yr unfed ganrif ar bymtheg gan gynnwys, mae'n amlwg, **Coed Raglan**, gyda'r amrywiad llafar lleol **Coedriglan**. Yn wir, **Coed-Raglan** yw'r ffurf ddogfennol a geir yn 1597-8.

A ddylid arddel **Coedarhydyglyn**? Gwell fyddai **Coedriglan**, ond er gwaethaf ei letchwithdod, y cyntaf sy'n cael ei ddefnyddio yn 'swyddogol'.

[*] Chwefror, 1995

G.O.P.

27

Coedygores

Ofer chwilio am yr enw hwn ar y mapiau diweddaraf. Nis collwyd yn llwyr, fodd bynnag, gan iddo gael ei gadw yn enw rhan o ardal drefol newydd Llanedern, Caerdydd. Er hynny, y mae'r hen ffermdy a âi dan enw'r coed trwchus a dyfai unwaith o'i amgylch, ac a oedd unwaith yn safle tŷ cyfrifol, cangen o hen deulu niferus y Morganiaid, yn dal i sefyll.

Bellach, y mae'n dafarn a bwyty poblogaidd a adwaenir fel yr *Harvester*, sy'n awr yn sefyll uwchben ffordd yr A48, neu **Eastern Avenue**, o Gaerdydd tua'r dwyrain.

Ceir amrywio rhwng -**es** ac -**as** y sillaf olaf ond, a barnu oddi wrth yr hen ffurfiau, ffurf lafar yw **Coedygoras** ar y **Coedygores** gwreiddiol.

Mynnodd un gohebydd mewn papur dyddiol unwaith mai **Coed-y-groes** yw ffurf gywir yr enw, ond nid oes gynifer ag un o'r lliaws ffurfiau ohono a gasglwyd yn cadarnhau hynny.

A beth am yr hanesydd lleol hwnnw a gyfieithodd yr enw i'r Saesneg fel *'the gorse wood'*?

Rhaid ystyried yr hyn a ddywed Dr B.G. Charles am yr enwau **Llwyn-goras** a **Llwyn(y)gorras** a geir mewn dau blwyf yn Sir Benfro. Er y cytunir ei bod yn bosibl mai **corres**, un ffurf fenywaidd ar **cor** 'corrach', yw'r ail elfen yn y naill enw a'r llall, efallai mai gwell fyddai meddwl am elfen sy'n cyfeirio at natur neu ansawdd tyfiant, gan mai â **llwyn** y cyfunir yr elfen ynddynt, ac â **coed** yn yr enw dan sylw.

Nid yw'r ffurfiau cynharaf yn hen iawn. Ceir **Koyde y Gorres** 1618, **Coed y Gores** 1685, **Coed-y-goras**, **Coyd-y-gores** 1702, ac ymlaen i'n cyfnod ni, gyda'r mwyafrif o blaid y terfyniad -**es**. Daw hyn â'r hen air **gores(t)** i ystyriaeth, sydd ag iddo gysylltiad posibl â sefyllfa 'goedaidd'.

Ceir **gores**, **gorest**, fel ansoddair i ddisgrifio tir heb ei gau i mewn neu heb ei drin a'i ddiwyllio, hefyd tir diffaith, diffrwyth. Mewn enwau lleoedd fel **Llwynygoras** a **Coedygores** y mae'n amlwg mai fel enw y defnyddir ef gyda'r fannod, ac yn ôl *Geiriadur Prifysgol Cymru* gall fod yn wrywaidd neu yn fenywaidd. Gwrywaidd ydyw, wrth gwrs, heb dreiglad yn ei gytsain flaen, yn yr enwau hyn.

Coed a oedd yn gysylltiedig â thir o'r math hwnnw, felly, yw ystyr yr enw, mae'n ymddangos. Yn wir, gallai fod yn nodwedd o ran o'r coed, hyd yn oed, ar un adeg.

G.O.P.

Croescadarn

Yn sgîl yr ad-drefnu ac adeiladu eang y dyddiau hyn ym mhlwyf Llanedern, ar gyrion dwyreiniol Caerdydd, pur anysbrydoledig, a dweud y lleiaf, yw'r ymdrech i greu enwau strydoedd pwrpasol. Er hynny, y mae un enghraifft ddiddorol wedi goroesi o gyfnod cynharach.

Rhed y ffordd o ymyl ysbyty breifat BUPA i ffurfio croesffordd lle y mae'n croesi'r ffordd wledig sy'n arwain o Lys-faen i Laneirwg. Ei henw heddiw yw **Croescadarn Road**, a phrofir gan liaws o ddogfennau stad teulu Kemeys-Tynte, o Gefnmabli, mai'r groesffordd honno yw'r **groes** sy'n elfen gyntaf yr enw.

Ond paham **Croescadarn** yn hytrach na **Croesgadarn**? Yn y lle cyntaf, nid yr ansoddair **cadarn** 'cryf, diysgog' yw ail elfen yr enw. Yn 1685-6 **Croesychadam** yw'r ffurf, **Croes ych Adam** 1698, 1711-12, **Croes ach Adam** 1713, ac yn y blaen yn gyson trwy gydol y ddeunawfed ganrif, gydag ambell amrywiad gwallus fel **Croesuwchadam** 1781, a'i debyg.

Pur amlwg yw'r ffaith fod dwy elfen yn dilyn **croes**, ac mai'r enw personol **Adam** yw'r olaf.

Yn union fel y cafwyd **ab, ap** ar lafar am **fab** (ffurf dreigledig **mab**) mewn enwau personol Cymraeg i ddangos perthynas tad a mab, y mae digon o dystiolaeth y ceid **ferch** (**merch**) mewn enwau hefyd i ddangos y berthynas amlwg honno.

Ar lafar, collwyd -f- yn **ferch** mewn enwau personol, ac fel y nodir yng *Ngeiriadur Prifysgol Cymru*, ymhlith yr amrywiadau llafar ar -**erch** a gofnodir, ceir y ffurfiau **ych, ach, arch, ech**, ac **uch**.

Y ddwy gyntaf o'r rhain a geir yn y ffurfiau o'r enw dan sylw a nodir uchod. Enw'r groesffordd hon yn wreiddiol, felly, oedd **Croes ferch Adam**, ac er na wyddom pwy oedd y gŵr hwnnw, heb sôn am wir enw ei ferch, gwyddom am ei fodolaeth, gan ei fod yn ymddangos yn yr enw **Gwaun Adam** yn y gymdogaeth yn 1650.

Yng nghyfrol y diweddar Athro T.J. a Prys Morgan ar y cyfenwau Cymraeg, awgrymir ei bod yn dra phosibl i'r -**ch** derfynol yn (**f**)**erch**, a'r amrywiadau ar y ffurf honno, lynu wrth yr enw a'i dilynai. Fel y cafwyd **Bowen** o **ab Owen**, neu **Prichard** o **ap Richard**, gallai **ych** (**ach**) **Adam** roi ffurf ar lafar fel -**chadam**, a seinid fel -**cadam**. Os felly, cam bychan fyddai i **Croescadam** droi'n **Croescadarn**, trwy eirdarddiaeth boblogaidd.

G.O.P.

Croes Cwrlwys

Gan mai hon yw'r ffurf a fabwysiadwyd gan un cwmni teledu fel ffurf Gymraeg enw lleoliad ei bencadlys ar gyrion gorllewinol Caerdydd, a chan fod peth o'r cyfrifoldeb am nodi bodolaeth y ffurf yn y lle cyntaf yn gorwedd ar fy ysgwyddau i, purion peth fyddai rhoi eglurhad i'r sawl sy'n dal i ofyn am un.

Yr enw Saesneg yw **Culverhouse Cross**, ac y mae **cross** yn cyfeirio at yr hyn a oedd gynt yn groesffordd syml lle croesai'r ffordd o Sain Ffagan i Wenfô y briffordd o Gaerdydd i'r Bont-faen, **The Crossway** ar ddiwedd yr ail ganrif ar bymtheg, **Croesheol** yn 1762, ond sydd yn awr wedi datblygu yn gymhlethdod o ffyrdd sy'n arwain i bob cyfeiriad.

Erbyn 1885 cyfeirid ati fel **Culverhouse Cross**, gan ei chysylltu ag enw'r fferm **Culverhouse** 1533, 1654-5, **Culver House** 1636, 1761, **Culferhouse** 1813-14, yr oedd y groesffordd yn ymylu ar ei thir.

Safai'r fferm mewn rhan ddidoledig o blwyf Sain Ffagan, rhyw ychydig i'r de o Ysgol Uwchradd bresennol Glan Elái, ond bellach nid oes dim o'i hôl. Yn ei lle ceir strydoedd o dai.

Ystyr **culverhouse** yw 'colomendy', ac fe gynnwys ffurf a ddeilliodd o'r Hen Saesneg **culfre** 'colomen' + **house**, ond fe ddengys rhai ffurfiau cynharach o'r enw fod ffurf lafar arno wedi datblygu sy'n dwyn arwyddion o Gymreigio.

Y ffurf honno yw **cwrlwys**. Cyfeirir mewn les yn 1786 at **Bedair Erw'r Cwrlwys** a **Dwy Erw'r Cwrlwys**, ac at y fferm **Cwrlwys** yn 1776 mewn dogfen arall.

Nid hawdd esbonio'r addasiad llafar hwn yn fanwl, ond rhaid fod trawsosodiad cytseiniaid wedi digwydd yn yr elfen Saesneg **culver-** i ddechrau (**-l-r** yn mynd yn **-r-l**), a cholli sillaf yr un pryd, i roi'r ffurf dalfyredig **cwrl-**. Aeth **house**, fel y disgwylid, yn **-(h)ws** ac yna'n **-wys**, i roi **cwrlwys**.

Y mae'n ffurf dra anghyffredin, ond un prawf o'i dilysrwydd yw fod y cartograffydd Emanuel Bowen, ar ei fap enwog o Dde Cymru yn 1729, wedi gwneud ymdrech deg i ddygymod â hi, a'i dangos fel **Curlass**.

Nid oedd ymhell ohoni.

G.O.P.

Croesor

Pentref ym mhlwyf Llanfrothen ym Meirionnydd yw **Croesor** — cartref Bob Owen y llyfrbryf. Saif y pentref yng Nghwm Croesor sy'n ymestyn i ben ucha'r plwyf a'r ffin â phlwyf Ffestiniog. Rhed afon Croesor drwy'r cwm. Cofnodir yr enw gyntaf yn 1578 a'r ffurf yw **Croisor**.

Yn ôl un chwedl yr oedd Elen Luyddog yn teithio trwy Gwm Croesor pan ddaeth cennad ati a dweud wrthi bod mab iddi wedi cael ei ladd ger Castell Cidwm, Betws Garmon. Dywedodd hithau 'Croes awr i mi oedd hon'. Galwyd y fan wedyn yn **Croesawr**, ac yn ddiweddarach yn **Croesor**. Prin y gellir derbyn yr esboniad hwn.

Yr oedd **-awr** gynt yn derfyniad lluosog Cymraeg. Aeth hwnnw'n -**or** mewn amser. Ceir ef yn y gair **ysgubor** *'barn'* sy'n deillio o **ysgubawr**, hen ffurf luosog **ysgub** *'sheaf'*. Fe ddigwydd y terfyniad hwn hefyd, neu berthynas agos iddo mewn enwau lleoedd yn yr ystyr 'llawer, nifer'. Ceir ef mewn enwau megis **Prysor** 'llawer o lwyni', **Perthor** 'llawer perth', **Gwernor** 'llawer o goed Gwern' a **Castellior** 'llawer caer'.

Mae'n amlwg mai **croes** *'cross'* yw elfen gyntaf yr enw **Croesor**. Un o ystyron **croes** yn Gymraeg yw 'arwydd ar ffurf croes sy'n nodi ffin' ac y mae **croes** yn sicr yn digwydd mewn enwau lleoedd yn yr ystyr hwn. Yn adran Llanfrothen, yn holiaduron plwyfol Edward Lhuyd a luniwyd tua 1700, ceir cyfeiriad pendant at groes mewn lle o'r enw **Llidiart y Post** a oedd yn nodi'r ffin rhwng plwyfi Llanfrothen a Ffestiniog. Rhaid fod y llecyn hwn yn agos i Gwm Croesor ac y mae'n bosibl fod yna groesau eraill gynt yn nodi'r ffin rhwng y ddau blwyf. Teg yw awgrymu felly mai 'man lle ceir llawer o groesau ffin' yw ystyr **Croesor**.

T.R.

Crofftygenau

Enw yw hwn bellach ar dŷ annedd sylweddol ar ochr y ffordd sy'n rhedeg i lawr o Ysbyty Rhydlafar i bentref Sain Ffagan (*Crofftygenau Road*), ond yn gynharach enw ffermdy ar yr un safle. Y mae'r cofnodion amdano yn mynd yn ôl i 1570.

Y mae'n sefyll ar dir agored sydd ar oleddf graddol tua'r de. Oherwydd hynny, does dim lle i geisio esbonio'r enw fel pe bai'n cynnwys y gair **genau** 'ceg', mewn ystyr drosiadol, i olygu ceg dyffryn, bwlch neu agoriad mewn tir bryniog.

Yr elfen gyntaf yw **crofft**, enw benywaidd sy'n fenthyciad i'r Gymraeg o'r Saesneg **croft** 'maes' neu 'gae bychan, clwt o dir', gair a ymgartrefodd mor hwylus yn y Gymraeg nes esgor ar y ffurfiau lluosog **crofftau, crofftydd**, sydd hwythau yn digwydd yn fynych mewn enwau lleoedd.

Gair diddorol yw hwn gan fod ei ffurf dreigledig ar ôl y fannod, (**y**) **grofft**, wedi cael ei chamddeall er yn gynnar fel ffurf gysefin, a'i threiglo ymhellach i roi **y rofft** mewn nifer o enwau yn y Gogledd, a hyd yn oed **yr offt**, yn ôl *Geiriadur Prifysgol Cymru*.

Ffurf yr enw dan sylw yn arolwg 1570 yw **crofte y ginyn**, ac erbyn 1720-36 ceir **Croft y Ginni, Croft y Gunny** 1728 a.y.b. lle gwelir colli'r -n derfynol eisoes, a'r ail elfen yn edrych yn ansicr iawn. Erbyn 1834 aeth yn **Crofft y guinea** ond, yn ffodus, daeth ffurfiau o'r ail ganrif ar bymtheg i'r golwg ym mhapurau stad Bute, a dyna ddatrys y broblem.

Y ffurfiau hynny yw **Krofft Eginin** ddechrau'r ail ganrif ar bymtheg, **Croft eginin** c.1670, 1671, ac ymlaen i'r ganrif ddilynol.

Yr ail elfen yw **eginyn**, ffurf fachigol ar **egin** 'bladur, blaenffrwyth' (cymharer 'egin grawn' yr emynydd) gyda'r sillaf gyntaf wedi mynd yn ddiacen a thywyll, a chael ei chymryd fel y fannod, i roi **Crofft y ginyn** 1570 (mewn orgraff ddiweddar).

Nid oes sail, felly, i'r ffurf bresennol sydd i'w chael hefyd ar fapiau Swyddfa'r Ordnans o 1833 ymlaen.

G.O.P.

Cwmbwrla

Amlwg yw mai enw nant yw -**bwrla**, ac yn wir o wybod hynny bu cyfnod pan adwaenid hi wrth yr enw **Bwrlais**, ffurf a luniwyd yn fwriadol i gael ystyr a'i chydio wrth y gair **glais** 'nant, afonig, ffrwd' sy'n digwydd yn arbennig yn y De un ai ar ei ben ei hun yn enw'r pentref **Y Glais** (**Aber Gleys** yn 1203, lle rhed y nant i Dawe) neu mewn cyfuniadau cyfarwydd fel **Morlais, Gwynlais, Marlais, Dowlais, Dula(i)s**, ac yn y blaen.

Rhed y nant trwy'r cwm a throi i lawr gan lifo i afon Tawe mewn man a oedd yn lled agos i'r hen **Cambrian Pottery** ers talwm. Yn nyddiau cynnar bwrdeistref Abertawe, y nant hon oedd ffin ogleddol cnewyllyn y dref, ac yn y freinlen gyntaf a roddwyd i'r bwrdeiswyr yn 1153-84 ymddengys enw'r ffin hon fel **Burlakesbrok**, ac mewn siartr diweddarach, **Burlakysbrok** 1306. Ffurf Saesneg Canol ar yr Hen Saesneg **broc**, sef **brook** heddiw, yw'r elfen olaf yn yr enw hwn.

Mewn gwirionedd, doedd dim angen ychwanegu **brook** at **Burlake** gan mai dyna'n union beth yw ystyr **lak(e)** mewn Saesneg Canol, 'nant, ffrwd' mewn enwau Saesneg fel **Mortlake, Fishlake** a.y.b., ac nid 'llyn' fel mewn Saesneg diweddar. Ond beth am yr elfen gyntaf?

Wedi'r cwbl, ffin y dref oedd y nant hon, a'r tebyg yw mai ffurf ar y gair Hen Saesneg **burh** a welir yma, gair a olygai 'amddiffynfa' yn wreiddiol, ond lledodd yr ystyr i olygu 'tref amddiffynedig' ac yna 'tref, bwrdeistref' yn syml. Hyn a welir mewn enwau fel **Burgate, Burford**, a'u tebyg yn Lloegr. Gyda **Burlake** yn Abertawe arhosodd y sain galed -**c** (-**k**) hyd yr ail ganrif ar bymtheg o leiaf (ceir **Purlocke brooke** 1584, **Burlax Brooke** 1685), ond rhaid fod llacio amlwg ar ynganu'r gytsain wedi digwydd nes ei cholli, a cheir cofnodi **Cwm Bwrla** erbyn 1641 a 1650.

Digwydd yr enw mewn un man arall ym Morgannwg, sef enw ffrwd a amgylchynai fwrdeistref arall, hen dref Cynffig a ddiflannodd dan y tywod. Heddiw, enw pont sy'n cario'r ffordd o Fargam i Fawdlam dros yr afonig honno yw **Pont Bwrlac**.

G.O.P.

Cwm-y-glo

Pentref bychan rhwng Llanrug a Llanberis yn Arfon yw **Cwm-y-glo**. Ni welais i erioed gyfeiriad at gloddio am lo yn yr ardal a, hyd y gwn, nid oes yna unrhyw dystiolaeth fod glo i'w gael dan y ddaear neu ar y brig yno. Cofnodir yr enw gyntaf yn 1765 pan oedd yna ond ychydig iawn o gloddio am lo yng Nghymru.

Daw'r gair Cymraeg **glo** o wreiddyn Celtaidd sydd yn golygu 'disgleirio' ac efallai mai 'marworyn byw' oedd ystyr gwreiddiol y gair. Yn yr Oesoedd Canol gallai **glo** olygu *'coal'* neu 'golosg, *charcoal'* yn Gymraeg. Gallai'r geiriau cytras mewn Llydaweg a Chernyweg olygu hyn hefyd a gallai'r gair Saesneg **coal** olygu *'charcoal'* weithiau hefyd yn y dyddiau gynt.

Y tebyg yw felly mai 'golosg, *charcoal'* yw ystyr **glo** yn yr enw **Cwm-y-glo**, a bod yr enw yn cyfeirio at grefft golosgi — crefft a oedd yn bwysig ac yn weddol gyffredin yng Nghymru gynt. Llosgid darnau o goed megis ffawydd, gwern, helyg a derw yn araf ac yn fud mewn pyllau mawr caëdig dros amser hir yn yr haf i gynhyrchu tanwydd ar gyfer y diwydiant haearn a diwydiannau eraill.

Credir bellach fod yr enw **Gloddaith** — enw plasty ger Llandudno — yn cyfeirio at fan lle yr arferid cynhyrchu golosg. Cofnodir yr enw hwn mor gynnar â 1298. Fe ddigwydd yr enw **Globwll** yn Llanfyllin, a chofnodir ef gyntaf yn 1563. Y mae'n bosibl fod yr enw hwn yn cyfeirio at bwll golosg. Ond, fe all **globwll** hefyd olygu 'pwll glo' yn yr ystyr cyffredin wrth gwrs ac anodd iawn fyddai ceisio dyfalu beth yn union yw ystyr yr enw **Globyllau** yn Aberteleri a Sain Ffagan.

T.R.

Cwna

Ar lethrau Mynydd Eilian yn Llaneilian yng ngogledd Môn safai bwthyn o'r enw **Cwna**. Ychydig amser yn ôl prynwyd y bwthyn gan Sais ac, yn naturiol, gofynnodd i'w gymdogion beth oedd ystyr enw ei gartref newydd. Cafodd wybod ystyr y ferf Gymraeg **cwna** *'to be in heat'*, sef y ferf a arferir am ast yn gofyn ci. Yn ddisymwth ailfedyddiwyd y bwthyn yn **Mountain View**! Ar ôl peth protest yn lleol Cymreigiwyd yr enw hwn, yn gyntaf i **Mynydd y Golygfa** ac yna i **Golygfa'r Mynydd**, enw presennol y bwthyn.

Ond beth am y **Cwna** yma? Nid berf, ond enw personol, enw dyn ydyw. Yr oedd **Cwna** a **Cona** yn ffurfiau anwes, ffurfiau i gyfleu anwyldeb, ar yr enw personol **Conws** — cymharer **Iolo** fel ffurf anwes ar **Iorwerth**. Roedd yn enw a oedd yn bur boblogaidd yng Ngogledd Cymru yn yr Oesoedd Canol ac yn enwedig ym Môn. Y mae'n bosibl mai benthyciad o enw personol Gwyddeleg **Congus** yw **Conws**. Yr enw **Conws** a roddodd inni'r enw **Conysiog** am ardal ym Môn.

Yr oedd yr enw **Cona** yn boblogaidd yng Ngogledd-Ddwyrain Cymru hefyd. Ceir ef yn yr enw lle **Cei Cona**, sef **Connah's Quay**, ac y mae'n digwydd yn gyfenw hyd heddiw, yn y ffurf **Cunnah**, yn ardaloedd Abergele, Diserth a Wrecsam.

Yr oedd yr enw **Cwna** yn eithaf poblogaidd ym Môn, yn enwedig yn y bymthegfed ganrif, ac y mae tystiolaeth bur gadarn ar gael i ddangos pwy oedd y **Cwna** a roes ei enw i'r bwthyn yn Llaneilian. Yn 1439 daeth tiroedd yn Llaneilian i ddwylo Cwna ab Ieuan ab y Mab drwy forgais. Yn 1456, ac eto yn 1461, yr oedd yr un Cwna yn dyst i weithredoedd yn ymwneud â thiroedd yn Llaneilian. Yn 1500 gwerthodd ei fab Lewis ap Cwna y tiroedd yn Llaneilian i ŵr o Lechgynfarwy. Yr oedd Cwna ab Ieuan felly'n fyw rhwng 1439 a 1461 ac efô, yn ddi-os, a roddodd ei enw i'r bwthyn ar Fynydd Eilian. Yn ôl pob tebyg collwyd elfen megis **cae**, **tir**, **tŷ**, neu **tyddyn** o flaen yr enw.

Yr oedd enw'r bwthyn, — rhywbeth fel **Tyddyn Cwna** — felly'n gofnod am ŵr a oedd yn byw ym Môn ynghanol y bymthegfed ganrif a thrueni o'r mwyaf yw iddo gael ei golli yn yr ugeinfed oherwydd anwybodaeth a chamddyfalu dybryd.

T.R.

Cwrtyrala

Ar y mapiau, **Courtyrala** yw'r ffurf arferol ar enw'r plasty hwn ym mhlwyf Llanfihangel-y-pwll, ond **Cwrtyrala** oedd y ffurf a arferid ar lafar gan drigolion yr ardal ers llawer dydd.

Gwnaed amryw o gynigion i'w esbonio, gan gynnwys awgrym neb llai na Iolo Morganwg ei hunan. Y ffurf a geir ganddo ef, yn 1796, yw **Court yr Alaw**, ond ai **alaw** 'lili'r dŵr' oedd ganddo mewn golwg, ynteu ymateb a wnaeth i'r un chwiw gerddorol a barodd i'w gyfoeswr William Owen Pughe roi'r ystyr 'cainc, tôn' i'r gair ni wyddom.

Yn gynharach yn y ddeunawfed ganrif gwnaed cynnig di-sail i fabwysiadu'r elfen amwys **elerch** fel ail elfen yr enw, gan dybio, efallai, ei bod yn ffurf amrywiol ar **eleirch** neu **elyrch**, ffurf luosog **alarch** 'swan', sef **Cwrt yr Elerch** 1784, **Cort yr Elerch** 1786.

Erbyn diwedd y ganrif, fodd bynnag, yr oedd y ffurf **Cortyralla** 1792, yna **Courtyrala** 1818, **Court yr Alla** 1820 a.y.b. wedi dod yn sefydlog, ond fel yr awgrymir gan y ffurf olaf, y duedd oedd credu mai'r hyn a geir fel ail elfen oedd ffurf lawn y fannod, **yr**, o flaen y gair a fenthyciwyd o'r Saesneg Canol **alley**, sef **alai**, yn ei ffurf lafar **ala**, fel yn yr enwau **Alafowlia** (Dinbych), lôn **Yr Ala** (Pwllheli), **Penyrala** (Tregarth), a'r **Ala-las** (Caernarfon).

Nid cywir hynny, gan nad ffurf lawn y fannod **yr** o flaen gair sy'n dechrau â llafariad, **-yr-ala**, sydd yma, ond y ffurf **-y-** o flaen gair sy'n dechrau ag **r-**, **-y-rala**. Camraniad tebyg (o chwith, fel petai) i hwnnw a welodd **Y Radur** yn ymddangos ar glawr fel **Yr Adur**.

Cywirach, felly, yw'r ffurf a geir yn 1844 **Court y Rala**, gan mai'r elfen olaf yw ffurf lafar dreuliedig ar gyfenw teulu **Rale(i)gh, Rawley**, o le o'r un enw ger Barnstaple, Dyfnaint (hil yr enwog Syr Walter) y syrthiodd maenor Llanfihangel-y-pwll i'w meddiant ar ddiwedd y drydedd ganrif ar ddeg.

Y mae'r mwyafrif o'r ffurfiau o'r enw a gasglwyd yn cadarnhau hyn: **Court Rayle** 1578, **Court y Rayley** 1657, **Courtralley** 1670, **Court Raile** 1674 a.y.b., ond diddorol sylwi mai Cymreig yw cystrawen ffurf yr enw, ac nid yw'n cydymffurfio â threfn y ffurf Saesneg gynharaf a gasglwyd, **Raylescourte** 1283.

G.O.P.

Cynffig

Fel **Kenfig** yr ymddengys yr enw hwn fynychaf ar fapiau a dogfennau, ond er mai sillafiad pur anfoddhaol yw hwnnw ar y ffurf Gymraeg wreiddiol y mae o leiaf yn dangos yr amrywiad seinegol cyson a geir ar lafar yn y parthau hyn rhwng **cyn-** a **cen-** yn y sillaf gyntaf, fel y digwydd gyda'r pâr **Cyncoed** a **Cencoed**.

Ymhellach, o wybod fod **cen-** yn digwydd fel ffurf lafar **cefn-** mewn geiriau cyfansawdd, ac mai **Cefncoed** oedd ffurf gysefin **Cencoed** (yn union fel y ceir **cenffordd** am **cefnffordd**, **cenros** am **cefn-rhos**, a aeth yn **Gendros** yn Abertawe, a **Cendon** am **Cefn(y)don** ger y Tonna, Castell-nedd), credodd rhai mai **cefn** a geir fel sillaf gyntaf y ffurf **Kenfig** neu **Cynffig**.

Nid cywir hynny, gan mai enw afon a gyfyd ar Fynydd Margam yw **Cynffig** (**aqua de Kenfeg** yr hen ddogfennau) a redai gynt i Fôr Hafren heibio i'r hen fwrdeistref fechan a gymerodd ei henw, ond sydd ers canrifoedd wedi diflannu dan y twyni tywod.

Y mae'r arfer o enwi trefi ar ôl enw'r afon y maent yn sefyll ar ei glannau yn hen iawn. Gwnâi'r Rhufeiniaid hynny, fel yn achos Castell-nedd, **Nidum**, a Chasllwchwr, **Leucarum**.

Yr hyn sy'n nodweddu **Cynffig**, er hynny, yw mai enw personol ydyw yn wreiddiol.

Fel y dangosodd R.J. Thomas flynyddoedd lawer yn ôl bellach, y mae nifer pur sylweddol i'w cael o enwau afonydd, nentydd yn arbennig, sydd yn enwau personol, rhai o'r enwau hynny mor hen nes eu bod bellach yn anarferedig.

Y mae hynny'n wir am **Cynffig**, ond y mae gennym gofnod ohono fel enw tyst i ddogfen eglwysig hynafol yn *Llyfr Llandaf*, a hynny yn y ffurf gynnar **Conficc**, **Cinfic(c)**.

Rhan gyfansoddiadol o'r enw personol hwn, felly, ac nid ffurf ar **cefn**, yw **cyn-**, **cen-**, yn **Cynffig** (**Kenfig**), fel ag yn **Cynfal** (**Cynfael**), **Cynwrig** (**Cynfrig**) a **Cynan**, sydd hwythau, fel y mae'n digwydd, i'w cael yn enwau nentydd ym Meirionnydd, Brycheiniog a Morgannwg.

G.O.P.

Chwedlau

Ganrifoedd maith yn ôl nid môr oedd rhwng Penrhyn Llŷn yng Ngwynedd ac Iwerddon ond corstir isel, a gallai dynion gerdded drosto. Bryd hynny yr oedd offeiriad plwyf Tudweiliog hefyd yn offeiriad plwyf yn Iwerddon ac ar y Sul cynhaliai wasanaethau yn ei ddau blwyf. Ar derfyn gwasanaeth y bore yn Nhudweiliog cychwynnai am Iwerddon ar gefn ei geffyl — Weiliog — i gynnal gwasanaeth y prynhawn yno. Troi'n ôl wedyn tuag at wlad Llŷn i gynnal y gosber yn Nhudweiliog. Un Sul wrth ymlwybro'n ôl ar draws y gors ac ymylu at Llŷn dechreuodd yr hen geffyl suddo i'r gors ac arafodd ei gerddediad. Clywai yr offeiriad gloch eglwys Tudweiliog yn canu ar gyfer y gosber. Dechreuodd ymboeni a gwaeddodd ar y ceffyl yn nhafodiaith Gwynedd â llais croch 'Ty'd Weiliog' ('Dere Weiliog'). Oherwydd iddo floeddio fel hyn enwyd ei blwyf yn Llŷn yn **Tudweiliog**!

Chwedl yw hon a luniwyd, y mae'n debyg, yn y ganrif ddiwethaf i geisio esbonio'r enw **Tudweiliog**. Dyfynnir hi gan Myrddin Fardd yn ei gyfrol *Llên Gwerin Sir Gaernarfon*. Yr oedd lluniwr y chwedl ymhell o fod yn gywir. Ceir yn yr enw **Tudweiliog** yr enw personol **Tudwal** a'r terfyniad **-iog** sy'n dynodi meddiant. 'Tir Tudwal' felly yw ystyr yr enw. Y mae'n bosibl mai at Sant **Tudwal** y cyfeirir, ac efallai mai ar ei ôl ef yr enwyd **Ynysoedd Tudwal**, dwy ynys oddi ar arfordir deheuol Llŷn.

Ceir nifer o derfyniadau cyffelyb i **-iog** mewn enwau lleoedd yng Nghymru, megis **-i**, **-ion** ag **-ydd**, ac y maent i gyd yn dynodi meddiant. Felly ystyr **Arwystli** yw 'tir gŵr o'r enw **Arwystl**', ac ystyr **Edeirnion** ac **Eifionydd** yw 'tir Edern' a 'tir Eifion'. O'r terfyniadau hyn mae'n debyg mai **-iog** sy'n digwydd amlaf. Ceir ef yn yr enwau **Anhuniog** 'tir Annun' — benthyciad o'r Lladin *Antonius*; **Cyfeiliog** 'tir Cyfael'; **Rhufoniog** 'tir Rhufawn' — benthyciad o'r Lladin *Romanus* ac efallai yn **Ffestiniog** 'tir Ffestin'. Y mae'r enwau hyn i gyd bron yn hynafol iawn ac yn anaml y gellir dweud pwy yw'r gwŷr a enwir ynddynt.

Cofnodwyd llawer o chwedlau megis yr un a ddyfynnais i uchod am Dudweiliog. Chwedlau ydynt a luniwyd i geisio esbonio rhyw enw lle arbennig lawer canrif ar ôl bathu'r enw ei hun ac ychydig o wirionedd a geir ynddynt. Fodd bynnag, gallant fod yn ddifyr ac yn ddiddorol. Y mae nifer yn bur hynafol. Ceir rhai yn chwedlau'r Mabinogi. Cofnodwyd rhai eraill mewn llyfrau hanes plwyfi a phentrefi a chasgliadau o lên gwerin. Y mae rhai eraill wedyn yn aros ar lafar. Clywais chwedl gan un gŵr sy'n ymgais i esbonio'r enw **Cricieth**. Pan foddwyd Cantre'r Gwaelod, meddai, ceisiodd y cathod i gyd ddianc. Boddwyd hwy oll yn y diwedd ond cyn iddynt suddo gan y dyfroedd gwaeddasant i gyd yn enbyd. Clywyd eu dolef o un man ar arfordir Llŷn a galwyd y lle hwnnw wedi hyn yn **Cricath**. A dyna sut y cafodd **Cricieth** ei enw. 'Bryn y caethweision' yw gwir ystyr **Cricieth**.

T.R.

Dafen

Pentref nid nepell o Lanelli yw **Dafen** heddiw, ond enw afon ydoedd yn wreiddiol, afon sy'n codi ger fferm y Cwarau rhwng Felin-foel a Llan-non ac yn llifo heibio i bentref Dafen a Maes ar Ddafen ac yna i afon Llwchwr yn aber yr afon honno ger y Penrhyn Gwyn.

Cofnodir yr enw gyntaf yn y ffurf **Davan** yn 1543-4 ac y mae'r ffurfiau **Dafen** a **Daven** yn digwydd yn gyson ar ôl hynny. Cofnodir yr enwau **Blaendafen** a **Glandafen** hefyd o gyfnod pur gynnar. Bellach aeth **Glandafen** yn **Llandafen** dan ddylanwad enwau plwyfi sy'n cynnwys yr elfen **llan**.

Nid oes yna gysylltiad rhwng yr enw **Dafen** ac enwau afonydd megis **Taf** a **Tafwys**. Yn hytrach gellir ei gysylltu â geiriau Cymraeg megis **dafad** a **dof**. Daw yn ôl pob tebyg o wreiddyn Celtaidd **damat** 'creadur wedi ei ddofi'. Daw'r gair Gwyddeleg **damh** 'ychen' o'r un gwreiddyn hefyd. Fe ddigwydd y gair hwnnw yn yr enw **Devenish**, enw ar ynys yn Lough Erne ger Enniskillen. Fe ddigwydd yr un gair yn yr enw **Loch Daven** ger Dinnet yn yr Alban.

Y mae'n bosibl hefyd fod cysylltiad rhwng **Dafen** a dwy afon yn Lloegr, yn swyddi Caer a Stafford, o'r enw **Dane**, gan mai **Dauen** oedd ffurf gynnar yr enw. Os felly y mae perthynas rhwng **Dafen**, Llanelli ac enwau lleoedd Saesneg megis **Davenport** a **Daventry**.

Yn ôl pob tebyg felly 'afon yr anifail dof' yw ystyr **Dafen**, a gellir gosod yr enw mewn dosbarth mawr o enwau afonydd Cymraeg — afonydd a enwyd ar ôl rhyw anifail neu'i gilydd. Un o ystyron **banw** yw 'porchell, mochyn bach' ac fe ddigwydd **banw** mewn enwau afonydd megis **Banw**, **Beinw**, **Aman** ac **Ogwen** (**Amanaw** ac **Ogfanw** oedd ffurfiau gwreiddiol yr enwau hyn). Enwyd afonydd eraill ar ôl rhyw fath arall o fochyn — afonydd megis **Hwch** a **Twrch**.

Nid y mochyn a'i deulu yn unig a gofir mewn enwau afonydd ond llu o anifeiliaid eraill mewn enwau megis **Anner**, **Arth**, **Blaidd**, **Cathan**, **Colwyn**, **Gafr**, **Gafrogwy**, **Iwrch**, **Teirw**, ac **Ychen**. Y mae'n bosibl fod rhai o'r enwau hyn yn enwau duwiau neu dduwiesau ar lun anifail.

T.R.

Del

Y mae ystyron llawer o eiriau Cymraeg wedi aros yn ddigyfnewid dros y canrifoedd. Yr un oedd ystyr **ceiliog, llety, llygad, trist** a **tywyll** i Dafydd ap Gwilym yn y bedwaredd ganrif ar ddeg ag i ni heddiw yn yr ugeinfed. Y mae ystyr rhai geiriau eraill wedi lledu dros amser. Hyd at ddechrau'r bedwaredd ganrif ar bymtheg unig ystyr **gwinllan** oedd 'vineyard' ond, o tua 1800 daeth i olygu 'llwyn crwn o goed' hefyd ac y mae'n digwydd yn yr ystyr hon mewn enwau lleoedd drwy Ogledd Cymru.

Mae yna ambell air hefyd sydd wedi newid ei ystyr yn gyfangwbl ac y mae'n anodd iawn rhoi unrhyw reswm am hynny. Gair fel hyn yw **del**. Ystyr gwreiddiol **del** oedd 'caled, garw; ystyfnig, sarrug'. Mewn cywydd o'r bedwaredd ganrif ar ddeg y mae Iolo Goch yn disgrifio barf arw (yr hyn y byddai Sais heddiw yn ei alw'n *'designer stubble'*) fel hyn:

> Llym a glew yw bob blewyn,
> Grug del yn gorugaw dyn.

Ystyr yr ail linell yw 'grug garw yn gwanu neu'n pigo merch'. Ceir enghreifftiau tebyg yng ngwaith beirdd eraill ac y mae'r geiriadurwyr cynnar hwythau'n nodi'r ystyr 'garw' yn unig ar gyfer **del** hefyd.

Yna, yn ei eiriadur ef, a gyhoeddwyd yn 1803, fe rydd William Owen Pughe yr ystyron hyn ar gyfer **del**: *'obdurate, stiff, stubborn; pert, fancy, smart'*. Yng ngeiriadur Silvan Evans, a gyhoeddwyd yn 1897, dywedir hyn am ystyr newydd **del**:

> *pretty, neat, nice. The word, in this favourable sense, is in common use in North-west Wales, and no other meaning is there given to it.*

Ac, wrth gwrs, mae hyn yn wir hyd heddiw. Hyd y gwn, nid oes yna neb yn awr yn defnyddio'r gair yn ei ystyr wreiddiol ond fe'i clywir yn fynych mewn llu o ymadroddion megis: 'hogan ddel, dynas fach ddel, mae o'n gwenu'n ddel, ma' gynnoch chi le bach del yma'. Aeth y gair yn gyfarchiad diystyr, difeddwl bron mewn ymadroddion megis: 'del bach, fy mabi del i, be ga' i neud i chi del'. Mae'r Sais yn defnyddio *love* yn yr un modd. Defnyddir **del** hefyd mewn ystyr watwarus fel yn yr ymadrodd 'O rwyt ti'n beth del', am rywun blêr neu un sy'n wael ei gyflwr. Mae'n digwydd hyd yn oed mewn enwau lleoedd megis **Delfan** a **Delfryn**, yn yr ystyr 'tlws'.

Digwyddodd yr un newid i'r gair Saesneg **nice**. Un o ystyron gwreiddiol y gair hwnnw oedd 'manwl, penodol' ond erbyn heddiw ei ystyr gan amlaf ydyw 'tlws, prydferth, dymunol'.

Newidiodd **del** ei ystyr felly tua 1800 a chollwyd ei ystyr wreiddiol. Daeth yn air arwynebol ac yn gyfarchiad diystyr. Pam? Pwy a ŵyr? Gellir dangos

newid mewn ystyr gair ac amseriad y newid yn eitha hawdd, ond mater arall
yw rhoi rheswm drosto.

T.R.

Dihewyd

Plwyf a phentref yng Ngheredigion yw **Dihewyd**. Cofnodir yr enw gyntaf yn 1376 ac ychydig o newid a fu yn yr enw ers hynny. Gair Cymraeg yn golygu 'taer ddymuniad, eiddgarwch' sydd bellach mi gredaf yn bur anghyffredin yw **dihewyd**. Felly, mewn enw lle y mae'n debyg mai 'llecyn dymunol, hyfryd' yw ei ystyr. Y mae'n bosibl mai **Betws Dihewyd** oedd enw gwreiddiol y plwyf. Ceir un cofnod prin o'r ffurf hon o'r flwyddyn 1415. Benthycair o'r Hen Saesneg yn golygu 'tŷ gweddi' yw **betws**.

Fe ddigwydd **dihewyd** mewn enwau lleoedd eraill yng Nghymru hefyd. Yn Nhywyn ym Meirionnydd ceir **Doldihewydd** ac yng Nghwmrheidol, Ceredigion fe ddigwydd yr enwau **Dihewyd** a **Phen Dihewyd**. Yn Llanilltud Faerdre ym Morgannwg, ceir yr enwau **Y Ddihewyd** a **Moel Dihewyd**. Felly cafodd mwy nag un llecyn dymunol yng Nghymru yr enw anghyffredin hwn.

Yr oedd i **Ddihewyd**, Ceredigion enw arall gynt, sef **Llanwyddalus**. Yr oedd Ffair Llanwyddalus 'Ffair Dalis Fawr' yn enwog o'r unfed ganrif ar bymtheg ymlaen. Symudwyd hi i Lanbedr Pont Steffan yn y ganrif ddiwethaf ar ôl agor gorsaf reilffordd. Credir bod capel wedi ei gysegru i rhyw sant o'r enw **Gwyddalus** yn Nihewyd gynt.

Bu cryn ddadlau ynglŷn â'r enw **Gwyddalus**. Cred rhai mai enw rhyw sant Cymraeg anhysbys ydyw. Ond fe gred eraill mai benthyciad ydyw o'r enw Rhufeinig **Vitalis**, enw sant a ferthyrwyd yn Ravenna ynghyd â'i wraig Valeria yn yr ail ganrif. Anodd iawn yw barnu. Byddai yr enw Rhufeinig **Vitalis** yn rhoi **Gwidol** yn Gymraeg. Y mae enghreifftiau o'r enw ar gael ac y mae'n bosibl ei fod yn digwydd mewn rhai enwau lleoedd yng Nghymru megis **Rhoswidol** ym Mhenegoes, Trefaldwyn. Ar y llaw arall cysylltwyd Vitalis â Llanwyddalus o'r unfed ganrif ar bymtheg ymlaen. Ceir **Ffynnon Dalis** ger pentref Dihewyd a Vitalis yw nawddsant y plwyf hyd heddiw.

T.R.

Drope

Pan oedd Aneirin Talfan yn crwydro Bro Morgannwg rai blynyddoedd yn ôl, sylwodd ar 'enw rhyfedd' y pentref bychan hwn ym mhlwyf Sain Siorys (St George) ger Caerdydd.

Enw'r lle yn 1535 oedd **Britton super Elly**, ac erbyn 1657, **Britton Thorpe**, gyda **Thorp(e)** neu **Throp(e)** yn digwydd ar ei ben ei hun yn 1540.

Dangos lleoliad y pentref y mae ffurf wreiddiol yr enw, felly, ar lan afon Elái. Gall **Britton** ddod o'r Hen Saesneg **brycg** (Saes. Diweddar **bridge**) + y **ton** cyffredin sy'n golygu 'daliad, fferm' i roi'r ystyr 'y fferm ger y bont' (ar Elái). Mae posibilrwydd arall, ond nid awn ar ôl hwnnw.

Yn hytrach, ystyriwn yr ail elfen, **thorp** yn 1657, Saesneg Canol **thorpe** 'fferm allanol, pentre' (nad yw'n ddigon cynnar yma i awgrymu mai'r cytras Sgandinafaidd **thorp** ydyw). Yn amlach na pheidio, ar lafar gwlad ceid trawsosod cytseiniaid i roi **throp**, ochr yn ochr â **thorp**, a honno yw'r ffurf a welodd gyfnewid **thr-** ar ei dechrau yn **dr** i roi **drop(e)**, ac yn ddiweddarach, **The Drope**.

Y pwynt i'w nodi yw mai cyfnewidiad nodweddiadol o dafodiaith siroedd deau-orllewin Lloegr yw hwn. Y mae angen pwysleisio mewnlifiad cyson pobl o'r ardaloedd hynny dros Fôr Hafren ac o gyfeiriad Caerloyw dros y canrifoedd i gyffiniau Caerdydd, Bro Morgannwg a Phenrhyn Gŵyr. Daethant â'u tafodiaith a'u termau arbennig gyda hwy, ac y mae eu holion i'w gweld o hyd ar enwau lleoedd Morgannwg.

Gyda **Drope** gellir cymharu enwau fel **Drupe**, Dyfnaint, **Pindrup**, Sir Gaerloyw, **Droop**, Dorset a.y.b.

Ond yn achos **Drope** aed gam ymhellach. Fe Gymreigiwyd y ffurf erbyn tua diwedd y ddeunawfed ganrif, efallai, ac i gyfateb i'r Saesneg **The Drope** cafwyd **Y Drope**, a seinid fel **Y Drôp**. Yna, gwnaed yr enw'n fenywaidd, **Y Ddrôp**, ac yn unol â'r duedd yn y De i ddatblygu llafariad ymwthiol rhwng cytseiniaid fel yn **ofn/ofon**, **dofn/dofon**, tystir i'r ffurf **Y Ddorôp** ddigwydd ar lafar hefyd.

G.O.P

Dunvant (Dynfant)

Pentref ym Mhenrhyn Gŵyr i'r gorllewin o ddinas Abertawe yw **Dunvant**. Saif ym mhlwyf Llanrhidian. Ar ôl llwyddiant tîm rygbi'r pentref yn ddiweddar bu nifer o bobl yma yn y Gogledd yn fy holi ynglŷn ag ystyr yr enw[*]. Tybiai rhai mai enw Ffrangeg ydoedd ac eraill mai tras Saesneg oedd iddo. Y maent i gyd yn anghywir. Enw cwbl Gymraeg yw **Dunvant**, ond iddo gael ei ystumio gryn dipyn dros y canrifoedd.

Cofnodir yr enw gyntaf, hyd y gwn i, yn y ffurf **Dovenant** yn 1650. Yn 1652 gwerthodd Richard Davids o Benmaen, Morgannwg diroedd yn Abertawe, Casllwchwr a Llanrhidian i Bussy Maunsell o Lansawel ac yn eu plith yr oedd fferm o'r enw **Dyffnant**. Mor ddiweddar ag 1830 cofnodir y ffurf **Cwm y dwfn Nant** ar y map ordnans. Y mae'n amlwg felly mai **Dyfnant** oedd ffurf wreiddiol yr enw ac i'r -f- a'r -n- newid lle rhywbryd yn ystod y ganrif ddiwethaf. Erbyn diwedd y ganrif sillafwyd yr enw yn y ffordd Seisnigaidd **Dunvant**, mae'n debyg dan ddylanwad enwau lleoedd Saesneg megis **Dunmow** a **Dunwich**. Yn ôl pob tebyg digwyddodd hyn ar ôl agor gorsaf reilffordd a phyllau glo yn y pentref yn chwedegau a saithdegau'r ganrif ddiwethaf. Ar ôl cau'r pyllau glo tua 1925 adeiladwyd llawer o dai yn y pentref ar gyfer pobl yn gweithio yn Abertawe ac erbyn diwedd chwedegau'r ganrif hon yr oedd **Dunvant** yn rhan o swbwrbia Abertawe.

Y mae dau ystyr i **nant** mewn enwau lleoedd yng Nghymru, sef 'ffrwd, afonig' a 'cwm, ceunant'. Y mae yna beth tystiolaeth sy'n awgrymu bod **nant** yn golygu 'ffrwd' yn enw benywaidd, a **nant** yn golygu 'cwm' yn enw gwrywaidd — ffordd hwylus i wahaniaethu rhwng y ddau ystyr. Ceir **Nant Du** yn Abergele a Llanfair-ar-y-bryn a **Nant Ddu** ym mhlwyf Cantref ym Mrycheiniog a Llandeilo Bertholau ym Mynwy. Mae'n debyg fod **nant** yn yr enw **Dyfnant/Dunvant** yn cyfeirio at y cwm gan fod ei ochrau'n codi'n serth i dros dri chan troedfedd mewn ychydig gannoedd o lathenni. Felly 'cwm dyfn ag ochrau serth iddo' yw ystyr yr enw.

Fe welir -f- ac -n- yn newid lle mewn enwau lleoedd eraill yng Nghymru hefyd yn enwedig mewn enwau afonydd. Afon sy'n codi ym Mlaen Llynfi ac yn rhedeg i Lyn Syfaddan yw **Llynfi**. Ffurf wreiddiol yr enw oedd **Llyfni**. Yr un enw ydyw felly â **Llyfni**, enw'r afon sy'n llifo drwy Lanllyfni a Phontllyfni yn Arfon. Cyfeiria'r enw at lyfnder dŵr yr afon. Afon sy'n codi ym Mlaen Llynfell ac yn llifo drwy Gwm Llynfell ym Morgannwg yw **Llynfell**. Yma eto **Llyfnell** oedd ffurf wreiddiol yr enw, a'r ansoddair **llyfn** yw'r elfen gyntaf.

[*] Medi, 1993   *T.R.*

Erddig

Enw ar blasty ger Gresffordd yng Nghlwyd yw **Erddig**. Adeiladwyd y plasty yn 1683 ac am ddwy ganrif a mwy bu'n gartref i deulu Yorke. Erbyn heddiw y mae'n eiddo i'r Ymddiriedolaeth Genedlaethol.

Y mae'r enw **Erddig** yn llawer hŷn na'r plasty gan mai enw trefgordd ym mhlwyf Gresffordd ydoedd yn wreiddiol, ac er bod i'r enw sŵn a naws hollol Gymraeg, enw Saesneg ydyw mewn gwirionedd, fel y dengys y ffurfiau cynharaf. Yn 1315 ceir y ffurf **Eurdicote**. Yna yn 1391 cofnodir y ffurfiau **Urthicote** ac **Eurdicote**. Erbyn yr unfed ganrif ar bymtheg **Eurthyg** oedd ffurf yr enw ac yna yn 1622 cofnodir y ffurf **Erddicke**. O hynny ymlaen ceir sillafiadau mwy a mwy Cymreigaidd ac erbyn heddiw **Erddig** yw'r ffurf gyffredin.

Felly, erbyn dechrau'r ail ganrif ar bymtheg yr oedd y rhan fwyaf o ail elfen yr enw gwreiddiol, sef **cot**, wedi diflannu. Yna aeth y trigolion lleol ati i Gymreigio yr hyn oedd ar ôl.

Y mae peth amheuaeth ynglŷn ag elfen gyntaf yr enw. Efallai mai y gair Hen Saesneg **hierda** 'bugeiliaid, heusoriad' ydyw. Fe ddigwydd yr elfen hon yn yr enwau **Hurcott** a **Hursley** yng Ngwlad yr Haf a Chaerwrangon yn Lloegr. Y mae'n bosibl hefyd mai **eordd** 'pridd' yw'r elfen gyntaf. Digwydd yr elfen hon yn yr enw **Earthcott** yng Nghaerloyw.

Y mae'n berffaith amlwg mai'r gair Hen Saesneg **cot** oedd ail elfen yr enw gwreiddiol. Yr ystyr arferol a roir i'r gair hwnnw yw 'bwthyn, lloches defaid'. Ond yn ddiweddar awgrymwyd fod ystyr mwy arbennig efallai i **cot** sef 'amlwd neu bentref newydd' neu 'maenor'. Felly, gallai'r enw gwreiddiol **Eurdicote** neu **Urthicote** olygu 'bythynnod y bugeiliaid', 'y bythynnod pridd' neu, hyd yn oed, 'maenor y bugeiliaid'.

Yng Ngogledd-Ddwyrain Cymru ceir nifer o enghreifftiau eraill o hen enwau Saesneg a Gymreigiwyd megis **Chwitffordd** (Whitford). Weithiau ymgaregodd yr hen ffurf Saesneg megis yn achos **Prestatyn**. Petai'r enw hwn wedi datblygu yn nhrefn arferol enwau lleoedd Saesneg yna **Preston** fyddai'r ffurf heddiw.

Talfyrrwyd ambell enw Saesneg yn yr ardal hon hefyd. Ffurf wreiddiol **Erlas**, enw plasty arall yng Ngresffordd, oedd **Erdelesham** 'fferm gŵr o'r enw Erdel'.

T.R.

Y Fflint

Yn ddiweddar bu cryn dipyn o ddadlau ynglŷn â'r arfer o osod y fannod **y** yn yr enw **Y Fflint** — ffurf Gymraeg yr enw Saesneg **Flint**, enw ar dref yng Nghlwyd. Y mae rheol syml a phlaen ynglŷn â gosod y fannod mewn enw lle Cymraeg, sef y dylid gosod y fannod o flaen elfen mewn enw sydd hefyd yn enw cyffredin yn yr iaith i'w wneud yn benodol. Yn achos **Y Fflint** fodd bynnag y mae'r sefyllfa yn wahanol.

Dechreuodd y brenin Edward I adeiladu castell ar graig ger Dinas Basing yng Nghlwyd yn ystod 1277. Nid oedd enw ar y llecyn ar y cychwyn, ond, erbyn Awst 1277, yr oedd y castell yn cael ei alw yn **le Flynt**. Yn y cyfnod cynnar hwn yr oedd enw Ffrangeg ar y castell newydd hefyd, sef **Le Chaylou**. **Chaylou** (Hen Ffrangeg **caillou**) yw'r gair Ffrangeg am *'flint'*. Diflannodd yr enw Ffrangeg erbyn diwedd y drydedd ganrif ar ddeg ac yn araf bach tyfodd tref o gwmpas castell **Le Flynt**.

Ystyr arferol **flint** yn Saesneg yw *'flintstone*, callestr', ond defnyddiwyd y gair hefyd i gyfeirio at unrhyw garreg galed arall megis cwarts neu basalt. Defnyddiwyd y gair hefyd i gyfeirio at unrhyw graig neu glogwyn wedi ei wneud o'r fath garreg. Mewn fersiwn Saesneg Canol o'r chwedl am Moses yn trawo'r graig yn anialwch Sinai a dŵr yn llifo allan ceir yr ymadrodd hwn: *'Out of the flint sprang flood'*. Yn achos **Y Fflint**, felly, y mae'n rhaid fod yr enw yn cyfeirio at y graig galed yr adeiladwyd y castell arno.

Le Flynt oedd y ffurf arferol ar enw'r castell a'r dref yn ystod yr Oesoedd Canol. Yr oedd yn arfer pur gyffredin i osod y fannod Ffrangeg **le** a **la** o flaen enwau lleoedd yng Nghymru yn ystod y cyfnod hwn. Y mae'n rhaid fod y fannod Saesneg **the** wedi cael ei defnyddio yn yr un modd, ond methais weld enghraifft o **The Flint** hyd yn hyn. Erbyn y cyfnod modern **Flint** yw'r ffurf Saesneg ar yr enw yn ddieithriad. Diflannodd y fannod.

Y mae'r enghraifft gynharaf o fersiwn Gymraeg yr enw i'w chael mewn fersiwn o *Brut y Tywysogion* sy'n perthyn i ganol y bedwaredd ganrif ar ddeg.

Y ffurf a geir yw **Y Fflint** a dyna sy'n digwydd yn gyson wedyn. Y mae'n rhaid fod y Cymry wedi mabwysiadu'r enw Saesneg **Flint** ond wedi trosi'r fannod i'r Gymraeg. Diflannodd y fannod Ffrangeg o'r enw, ac yn ôl pob tebyg yr un Saesneg hefyd, ond arhosodd y fannod Gymraeg. Felly **Y Fflint** yw'r ffurf Gymraeg gywir ar yr enw.

T.R.

Garthewin

Enw ar blasty ar safle godidog yn Llanfair Talhaearn, Clwyd yw **Garthewin** heddiw. Bu'n gartref i deulu Wynne ers canol yr ail ganrif ar bymtheg. Codwyd y rhan fwyaf o'r adeilad presennol yn ystod y ddeunawfed ganrif ac y mae i'r tŷ ei theatr a'i gapel Catholig ei hun.

Y mae'r enw **Garthewin** fodd bynnag yn llawer iawn hŷn na'r adeiladau gan mai enw ar drefgordd ydoedd yn yr Oesoedd Canol. Cofnodir y ffurf gynharaf ar yr enw yn 1311, sef **Garthewynt**. Yn 1334 cofnodir y ffurf **Garthewynd**. Yn 1491 ceir y ffurf, **Garthewyn** ac yna yn 1795, **Garthewin**.

Y mae'n bur amlwg felly fod yna -**t**- ar ddiwedd ffurf wreiddiol yr enw ond bod y gytsain honno wedi ei cholli erbyn diwedd y bymthegfed ganrif — peth pur gyffredin yn hanes yr iaith Gymraeg.

Garth 'cefnen o dir, *ridge*' yw elfen gyntaf yr enw, ond beth yw'r ail? Awgryma'r ffurfiau cynharaf yn gryf mai'r enw personol gwrywaidd **Dehewaint** sydd yma. Y mae'r enw hwn bellach wedi hen ddiflannu ond y mae nifer o enghreifftiau ohono wedi eu cofnodi. Cyfeirir at fedd rhyw **Dehewaint** yn ucheldir Mathafarn yn Englynion y Beddau a geir yn *Llyfr Du Caerfyrddin*. Yn 1202 yr oedd gŵr o'r enw Einion ap Dehewent yn byw yn Ystrad Marchell ac yn 1292 trigai gŵr o'r enw Dehewint ap Iago yn Nhywyn ym Meirionnydd.

Ni chofnodir enghreifftiau o'r enw ar ôl canol y bedwaredd ganrif ar ddeg ond ymddengys i **Dehewaint** droi yn **Dehewynt**, **Dehewynd** a **Dehewyn**. Ymddengys hefyd mai enw a berthynai i Wynedd a Chlwyd yn unig ydoedd.

Bu llawer yn trafod ystyr yr enw **Dehewaint** ond nid oes sicrwydd hyd yn hyn beth yw'r ystyr. Y mae'n bosibl mai **dehau** *'right, right handed'*; 'deheubarth' neu 'deheuig' yw elfen gyntaf yr enw. Nid oes sicrwydd ynglŷn â'r ail elfen.

Fodd bynnag gellir dweud mai yma yn yr enw **Garthewin** yn unig y digwydd **Dehewaint** mewn enw lle. Aeth **Garthddehewaint** yn **Garthewynt** ac yna yn **Garthewin**.

T.R.

48

Gendros

Un o'r nifer o enwau ar ardaloedd arbennig yn Abertawe yw **Gendros**, ac fel y rhan fwyaf ohonynt, enw ydyw heb ddim naws dinesig yn perthyn iddo. Fel arall yn hollol, gan fod yr ardaloedd hyn unwaith yn dir agored, yn fryniau a meysydd, coed a gweundir.

Ffurf yw **Gendros** sy'n cynnwys **cefn**, yn yr ystyr 'esgair bryn, trum', fel pan soniwn am 'gefnen o dir' + y gair cyffredin **rhos**, yn yr ystyr 'gwaun, morfa' yma, yn ôl pob tebyg.

Yr un yw patrwm **Cefn-faes** ger Llangatwg Nedd, a **Cefn-coed** mewn nifer o leoedd. Ond y mae tuedd ar lafar gwlad weithiau i golli'r -f- yn y cyfuniad -fn- dan yr acen. Aeth **Cefn-faes** yn **Cenfaes** ar y mapiau, a chofnodir **Kenfas** yn 1859; a **Cefn-coed** yn **Cencoed** a **Cyncoed** yng Nghaerdydd (ond nid ym mhobman, gan gynnwys Abertawe).

Erbyn 1735 o leiaf, yr oedd hyn wedi digwydd i **Cefn-rhos**, gan roi **Cen-ros** (**Genrose** yn llaw clerc o Sais yn yr un flwyddyn), ac erbyn 1844 cofnodir **Genrhos**, a **Genros Farm** lle mae'r ffurf dreigledig yn dangos i'r enw gael ei drin fel enw benywaidd ac yn benodol ar ôl y fannod, **Y Genros**, i gyfeirio at y fferm.

Y cam nesaf oedd cyfnewidiad llafar pellach, sef twf y -d- rhwng y llythrennau yn y cyfuniad -nr- fel yn **Penr(h)yn** yn cael ei ynganu fel **Pendryn**; **Cyn(w)rig** fel **Cyndrig** (**Kendrick** y Sais); **cynrhon** fel **cyndron** a.y.b. ac i **Y Genros** fynd yn **(Y) Gendros** erbyn 1846, **Gendros Farm** 1852, a roes ei henw i'r ardal.

Weithiau, gall ffurf mewn -ndr- dywyllu ystyr wreiddiol ambell enw. Fel y dangosodd Dr B.G. Charles, yr enw Cymraeg ar **Henry's Moat** yn Sir Benfro yw **Castell Hendre**, fel pe bai'r term adnabyddus **hendre(f)** yn ail elfen iddo, ond fel y mae'r enw Saesneg yn dangos, cam-esboniad neu ynganiad llac yw **hendre** o'r enw personol **Henri**, **Henry**, a aeth yn **Hendri** ar lafar.

G.O.P.

Glyncorrwg

Pentref yng ngorllewin Morgannwg a saif ger y fan lle rhed afon Corrwg Fechan i afon Corrwg Fawr yw Glyncorrwg. Llifa afon Corrwg wedyn i lawr drwy'r glyn ac i afon Afan yn y Cymer.

Nid yw'n hawdd gwahaniaethu bob amser rhwng ystyron manwl elfennau megis **cwm**, **nant**, **dyffryn**, **ystrad** a **glyn** mewn enwau lleoedd yng Nghymru. O graffu ar sawl **glyn** ar fap mi gredaf mai ystyr yr elfen mewn enwau lleoedd yw hafn ddofn, lydan a rheolaidd yn y ddaear neu rwng bryniau, yr ochrau yn aml yn goediog ac afon yn rhedeg drwy'r hafn. Y mae perthynas rhwng **glyn** a'r gair Gwyddeleg **gleann** 'dyffryn' a'r gair Gaeleg **gleann** 'dyffryn'. Y mae'r ddau air yma yn digwydd yn aml mewn enwau lleoedd yn Iwerddon a'r Alban ac ymgartrefodd y gair Gaeleg bellach yn enw cyffredin yn yr iaith Saesneg yn y ffurf **glen**.

Beth felly am **Corrwg**? Enw afon ydyw sy'n cynnwys yr elfen **cor** a'r terfyniad **wg**. Y mae'r terfyniad **wg** yn bur anghyffredin mewn enwau lleoedd ond y mae weithiau'n amrywio â'r terfyniad **og** ac fe gofnodir rhai enghreifftiau o'r ffurf **Glyncorrog** o'r flwyddyn 1519 ymlaen.

Daw **cor** o wreiddyn Celtaidd **kor-so** yn golygu 'bychan' ac y mae'n digwydd mewn enwau cyffredin ac enwau lleoedd yng Nghymru. Ystyr **cor**, **corach** yw '*dwarf*'. Digwydd **cor** hefyd yn **corryn**, gair y De am '*spider*'. **Pry cop** yw gair y Gogledd a daw hwnnw yn y bôn o'r gair Saesneg **cop** '*spider*'. Ceir **cor** hefyd yn elfen mewn enwau am lawer o lysiau, coed a phlanhigion mân megis **corbys** '*dwarf peas*', **cordderw**, **corddrain**, **coreithin**, **corfrwyn** a **corgelyn**.

Y mae **cor** hefyd yn digwydd mewn rhai enwau afonydd megis **Corran** — afon yn Sir Gaerfyrddin a **Corris** — afon ym Meirionnydd. Mae **Corris** bellach yn enw pentref hefyd. Felly 'glyn neu gwm yr afon fechan' yw ystyr **Glyncorrwg**. Y mae afon Corrwg tua phum neu chwe milltir o hyd ond, wrth gwrs, yn llawer llai nag afon Afan, sef yr afon y rhed iddi.

T.R.

Y Gnol

Er mai ym Mhentreclwydau ger Glyn-nedd y mae safle'r Eisteddfod Genedlaethol eleni[*], â thref Castell-nedd y cysylltir yr ardal gan lawer, a'r dref honno, yn ei thro, â'i thim rygbi sy'n chwarae ar faes **Y Gnol** gan lawer mwy.

Gair Saesneg cyffredin am fryncyn neu dwmpath yw **knoll** (y -**k**- yn ddistaw), ac fel yna y'i sillefir ef bellach, ond daw o'r Hen Saesneg **cnoll**, a p̂hwysig yw cofio y seinid yr -**c**- ar y dechrau yn y cyfnod hwnnw hyd yr Oesoedd Canol, ac efallai mor ddiweddar â'r ail ganrif ar bymtheg.

Fel pob bwrdeistref arall, sefydliad estron oedd hen dref Castell-nedd a llawer o enwau ei strydoedd a mannau eraill o'i chwmpas yn Saesneg.

Cyfeirid at fryncyn ar ei chyrion dwyreiniol fel **the knoll** o'r bymthegfed ganrif ymlaen o leiaf, ac erbyn dechrau'r ail ganrif ar bymtheg yr oedd tŷ cyfrifol wedi ei godi arno gan deulu David Evans o'r Great House yn y dref — i'r teulu hwn y priododd un o'i ferched Syr Humphrey Mackworth, y diwydiannwr.

Tynnwyd y tŷ, fel yr oedd yn y ganrif ddiwethaf, i lawr yn 1956, a thir a oedd yn rhan o'r stad yw maes chwarae tîm rygbi Castell-nedd.

Beth am y ffurf **gnol**? Fe'i ceir gan yr hen hanesydd Rhys Amheurig yn 1578, wrth gyfeirio at **nant y gnoll** a red heibio. Dyna'r ffurf gynharaf a welais i.

Y mae'n wybyddus fod nifer o eiriau Cymraeg sy'n dechrau â -**cn**- wedi eu benthyca o'r Saesneg Canol yn y cyfnod pan seinid y -**c**- neu -**k**-, fel **cnoc**, **Cnicht** (enw mynydd o'r Hen Saesneg **cniht**, heddiw **knight**), **cnap**, **cnaf** a.y.b., ac er na ddigwyddodd hyn i **knoll**, y mae'n bosibl fod Cymry'r ardal, ar ôl hir arfer â chlywed y gair gyda sain -**k**-, wedi ei fabwysiadu, fel petai, a'i drin fel enw benywaidd Cymraeg gan dreiglo'r gytsain gyntaf ar ôl y fannod (mater i'r glust yn unig, cofier), fel y dengys ffurf 1578.

Felly y daeth **copa** (o'r Saesneg Canol **coppe**) yn **Y Gopa** ym mhlwyf Llandeilo Tal-y-bont.

Byth ers hynny arhosodd y sillafiad **gnoll**, er y parheir i gadw'r -**g**- yn fud, yn union fel y -**k**- yn **knoll**, a'r tebyg yw mai'r hyn sy'n cyfrif am hynny yw dylanwad y ffaith hynod fod nifer pur dda o eiriau Saesneg sy'n dechrau â -**gn**- hwythau hefyd yn cael eu seinio gyda'r -**g**- yn fud, fel **gnarl**, **gnat**, **gnaw**, a.y.b., ac felly, cyn belled ag yr oedd y sillafiad yn y cwestiwn, nid oedd llawer o angen poeni ynglŷn â defnyddio -**gn**- mwy na -**kn**-.

Y duedd yn awr yw rhesymoli Cymreigio'r ffurf ar glawr, nid trwy hepgor y -**g**- fud, ond trwy roi un -**l**- ar y diwedd, **Y Gnol**.

[*] 1994

G.O.P.

Y Green

Ffermdy ar gyrion pentref Bethel ym Môn yw **Y Green**. Gerllaw y mae bwthyn o'r enw **Green-bach**. Nid nepell i ffwrdd yr oedd yna gynt dyddyn o'r enw **Greenganol** a bwthyn bychan iawn o'r enw **Green-bach-bach**. Y maent bellach yn furddunod. Y mae rhai o gaeau fferm **Y Green** yn ir ac yn las drwy gydol y flwyddyn. Fodd bynnag, yn union i'r de y mae cefnen hir o dir sy'n gwywo ac yn llosgi yn yr haf gan fod carreg galch yn agos at wyneb y tir.

Eto 'ar yr wyneb' y mae **Y Green** yn enw hynod iawn gan fod hen enwau lleoedd Saesneg yn eithriadol o brin yn y rhan hon o Fôn. A dweud y gwir ni wn ond am un arall, sef **Lazy Hill** ym mhlwyf Llangadwaladr (enw difrïol ar ddarn o dir gwael a diffrwyth).

Y Green yw'r ffurf arferol ar yr enw heddiw, a dyma'r ffurf sy'n digwydd yn gyson hyd at ganol y ganrif ddiwethaf. Fodd bynnag, yng nghofrestr plwyf Trefdraeth ar gyfer y flwyddyn 1806, ceir y ffurf **Cae crin**. Yna yn yr un gofrestr ar gyfer 1815 ceir y ffurf **Y Grin**. Rhaid felly mai **Cae crin** oedd ffurf wreiddiol yr enw ac mai **crin** 'gwywedig', 'wedi sychu a llosgi', oedd yr elfen olaf. Collwyd yr elfen gyntaf o'r enw, ac fe Seisnigwyd yr ail elfen a gwneud **Green**, **The Green** ac **Y Green** ohoni.

Yn union i'r de o **Y Green** y mae caeau o'r enw **Cae bryn crin** a **Bonc grin**. Wyneba'r rhain haul y bore a chanol dydd ac y maent yn llosgi yn yr haf. Tua milltir i'r de-orllewin y mae yna dyddyn o'r enw **Cefn-crin**. Y mae un o gaeau'r tyddyn hwn, sef **Cae'r orsedd**, hefyd yn wynebu codiad haul ac yn sychu'n grimp yn yr haf. Nid nepell i ffwrdd yr oedd bwthyn o'r enw **Congl-grin** a fe ddigwydd y ffurf **Congl green** yng nghofnodion y plwyf.

Wedi dweud hyn oll, fodd bynnag, dylid ychwanegu fod y gair Saesneg **green** 'gwyrdd', 'llecyn glas' yn digwydd mewn enwau lleoedd yng Nghymru — enwau megis **Y Green**, Dinbych a **Greenhill**, Llandysul.

Y mae **Y Green**, Bethel, yn enghraifft dda i ddangos fod yn rhaid yn aml wrth wybodaeth am dir a thirwedd yn ogystal â ffurfiau a geiriau wrth esbonio enw lle.

T.R.

Y Gyfeillion

Barn Glanffrwd, yn ei ysgrifau ar hanes plwyf Llanwynno a ysgrifennwyd dros ganrif yn ôl bellach, oedd bod **Y Gyfeillion**, rhwng Pontypridd a Phorth y Rhondda, yn hen bentref hyd yn oed yr adeg honno. Er hynny, prin yw ffurfiau cynnar yr enw ar glawr, a does dim llawer o amrywiaeth yn ffurf yr enw ac eithrio'r duedd gyffredin yn y De i golli'r -i- gytseiniol yn y terfyniad -ion i roi'r ffurf lafar **Gyfeillon**. Rhaid chwilio am esboniad ieithegol ar ystyr yr enw, felly, trwy gymorth gwaith y diweddar R.J. Thomas.

Y tu cefn i'r pentref mae'r tir yn codi'n llethrog ond mae toriad ynddo a chwm cul yn rhedeg i mewn rhwng dwy allt, dwy graig neu ddau glogwyn serth sy'n wynebu ei gilydd. Y mae mwy nag un ystyr i'r gair **allt** yn Gymraeg, ond un ystyr sydd i 'llethr, clogwyn', a'r ffurf luosog gyffredin heddiw yw **elltydd**, er bod **alltau** yn digwydd mewn enw ger Ystrad Mynach, **Penalltau**. Ond yr oedd yr hen ffurf luosog **aillt** unwaith yn ffurf fyw, ac yn ôl pob tebyg, y ffurf luosog ddwbl **eilltion**.

Wedyn, i fynegi bodolaeth dau beth cyfagos, un ffordd o wneud hynny oedd rhoi'r geiryn **cyf-** o flaen yr enw, fel yn **Y Gyfynys** mewn mwy nag un lle yn Sir Gaernarfon, neu **Y Gyfylchi** yng Nghwmafan, fel ag yn yr enw **Dwygyfylchi** ger Penmaen-mawr yng Ngwynedd, a sylwch fel y mae'r enw yn treiglo'n feddal ar ôl y fannod. Olion yw hyn o'r hen rif deuol yn Gymraeg nas defnyddir bellach.

O roi **cyf-**, felly, o flaen **eilltion**, ceir **cyfeilltion** a gollodd y -t- ar lafar gan roi **cyfeillion**, yn union fel y gwnaeth y gair cyffredin **cyfeillion** 'ffrindiau' (**cyfeillt** oedd ffurf unigol hwnnw mewn Cymraeg Canol), a chyda'r fannod, **Y Gyfeillion** fel enw lle. Yr ystyr, felly, fyddai 'y ddwy allt gyfagos'.

Ar lafar, yn unol â'r arfer yn y De o symleiddio'r ddeusain **ei** yn **i** hir, rhywbeth fel **Gyfillon** oedd ynganiad lleol yr enw, ac eithaf posibl, yn fy nhyb i, mai dyma'r ffurf sydd yn awr yn ymddangos fel **Govilon** rhwng y Gilwern a'r Fenni yng Ngwent. Saif y pentref hwnnw hefyd rhwng llethrau ar bob tu yng ngenau Cwm Llanwenarth.

G.O.P.

Y Gyffin

Plwyf yn union i'r de o dref Conwy yng Ngwynedd yw **Y Gyffin**. Ymestyna o lethrau Mynydd y Dref, Conwy, hyd at lannau afon Conwy. Cofnodir yr enw gyntaf yn 1254 ac nid oes newid yn y ffurf. Bu'r enw hefyd, yn y ffurf **Kyffin**, yn enw teuluol pur gyffredin ers canrifoedd.

Benthycair o'r gair Lladin *confinium* 'ffin, *frontier*' yw **cyffin**. Pan fo *con-* mewn gair Lladin yn aml try yn **cy-** yn y gair Cymraeg. Felly cafwyd **cyffaith** o *confectio*, a **cyffes** o *confessio*.

Fe ddigwydd **cyffin** yn y Gymraeg yn yr ystyr 'ffin, ardal gyfagos, cymdogaeth'. Nid yw'r ffurf unigol **cyffin** yn air byw i ni heddiw ond y mae'r ffurf luosog **cyffiniau** yn gyfarwydd i bawb. Fe ddigwydd y gair yn elfen mewn enwau lleoedd hefyd fwy nag unwaith yn yr ystyr 'tir ger ffin' neu 'tir y tu mewn i ffin arbennig'.

Felly at ba ffin y cyfeiria **Y Gyffin** ger Conwy? Fe safai ar ffin hen gwmwd Arllechwedd Isaf ond credaf mai at ffin bwysicach y cyfeirir, sef y ffin rhwng Gwynedd Uwch Conwy a Gwynedd Is Conwy. Ymestynai gwlad Gwynedd gynt o Ynys Cybi yn y gorllewin hyd at gyrion Caer yn y dwyrain ond fe'i rhennid hi yn ddwy ran: Gwynedd Uwch Conwy — y tir i'r gorllewin o afon Conwy, a Gwynedd Is Conwy — y tir i'r dwyrain o'r afon. Saif **Y Gyffin** ar y ffin hon a dyma, mi gredaf, y ffin y cyfeiria'r enw ati.

Fe ddigwydd yr enw **Cyffin** hefyd ym mhlwyf Llangadfan ym Mhowys. Credaf y cyfeiria'r enw hwn at y ffin rhwng cymydau Mechain a Chaereinion, sef afon Efyrnwy.

T.R.

54

Hafodhalog

Enw un o ffermydd allanol Abaty Margam (y *grange* Saesneg) sy'n dal i fod yn enw ar fferm i'r gogledd o Fynydd Cynffig, Morgannwg, oedd **Hafodhalog**, ond ofer fyddai ceisio dod o hyd i'r enw ar fapiau'r Ordnans yn y ffurf honno.

Cafodd ei gamesbonio gan ysgolheigion a haneswyr yn dra chyson hyd heddiw wrth gyfeirio at y lle fel **Hafodheulog**. Dyma'r ffurf a geir ar y mapiau hefyd, fel na ellir ei phriodoli'n llwyr i eirdarddiaeth boblogaidd. Byddai adffurfiad mympwyol yn well disgrifiad; canlyniad rhyw awydd dirgel i roi gwedd decach ar amgylchfyd yr hafod, efallai.

Y gwir yw fod nifer sylweddol o ffurfiau dogfennol pur gynnar ar yr enw wedi goroesi, cryn nifer o'r drydedd ganrif ar ddeg, fel **Hevedhaloc**, **Havedhaloc**, **Heuedhalok**, **Hauodhalauc**, **Havethaloc**, **Havothaloch** a.y.b., ac er bod amrywiadau amlwg y mae cytundeb eithriadol ar un pwynt, sef mai -**a**- yw llafariad gyntaf ail elfen yr enw, -**halog**.

Ni welais gynifer ag un enghraifft, mewn tua hanner cant o ffurfiau, o'r ddeusain -**eu**. Y mae'r dystiolaeth hon yn bur gadarn, a dweud y lleiaf.

Nid oes anhawster gyda'r ystyr. Sail yr ansoddair **halog** yn y cyswllt hwn yw'r enw **hâl** 'rhos, gwaun, gweundir', ac y mae rhai o'r dogfennau Lladin yn cyfeirio'n benodol at y **mora** 'rhos, gwaun' — nodwedd amlycaf y fangre.

Cymar clòs yw'r gair **halog** 'budr, brwnt, lleidiog', cytras â'r Wyddeleg **salach**, fel yn enw'r nant **Logyn**, **Login** ger Waunarlwydd, sef ffurf lafar y ffurf fachigol **halogyn**, un o bump neu chwech o ffurfiau tebyg sy'n enw nentydd yng Nghymru.

Cyffredin iawn hefyd yw'r enw **Rhydhalog** (weithiau **Rhytalog**) am ryd leidiog, aml ei defnydd, a **Pwllhalog**. Ceid **Plwcahalog** hefyd unwaith yng Nghaerdydd (**Pluccahalog** 1774) gyda **plwca** 'darn o dir' fel elfen gyntaf, a **Wernhalog** (**Wernhaloc** 1417) ger Llanrhidian, Gŵyr.

G.O.P.

Hawys

Y mae rhieni **Hawys** yn byw yma ym Mangor a chlywais ganddynt fod eu merch yn awyddus i gael gwybod beth yw ystyr a tharddiad ei henw. Nid mater hawdd yw darganfod gwybodaeth am enwau personol Cymraeg. Ychydig iawn o lyfrau a phamffledi am ein henwau personol a gyhoeddwyd hyd yn hyn ond y mae gennym bellach gyfrol safonol ar gyfenwau Cymraeg, *Welsh Surnames*, sydd yn cynnwys llawer o wybodaeth am enwau personol hefyd.

Benthyciad o'r enw personol Eingl-Normanaidd **Hawise** yw **Hawys**. Daw hwnnw yn ei dro o'r hen enw personol Almaeneg **Hadewidis**. Mae'r enw hwn yn cynnwys yr elfennau Almaeneg **hathu** 'brwydr' a **vid** 'llydan'. Enw anghyffredin iawn ydoedd felly ar ferch ac ni wn am ei gyffelyb yn y Gymraeg. Yr oedd **Hawise** yn enw poblogaidd a chyffredin ar ferched y Normaniaid o'r ddeuddegfed ganrif ymlaen a mabwysiadwyd ef gan y Cymry hefyd. Hawise ferch William, Iarll Caerloyw oedd gwraig gyntaf y brenin John. Hawise oedd enw gwraig yr Iarll hefyd ac yn 1158 cipiwyd yr Iarll ei hun a'i wraig Hawise a'u mab Robert liw nos o gastell Caerdydd gan Ifor ap Meurig (Ifor Bach) Arglwydd Senghennydd a'u cadw'n garcharorion yng nghoedwigoedd Senghennydd.

Yr oedd rhyw Hawys yn un o gariadon y bardd a'r tywysog Hywel ab Owain Gwynedd (bu farw yn 1170) ac enwir hi ynghyd â'i gariadon eraill, Nest, Generys a Hunydd yn un o'i gerddi. Yr oedd Hawise Lestrange yn wraig i Gruffydd ap Gwenwynwyn, Tywysog Powys (bu farw yn 1289). Hawys oedd enw ei wyres hefyd a alwyd yn Hawys Gadarn am ei bod yn wraig gref a chyhyrog a thystia'r bardd Gwallter Mechain fod **Hawys Gadarn** yn derm am wraig gref ym Mhowys mor ddiweddar â'r ganrif ddiwethaf.

Yr oedd gwraig o'r enw Hawys yn dal tyddyn ac acer o dir ym Modysgallen ger Llandudno yn 1334 ac ym Margam yn 1633 yr oedd darn o dir a elwid yn **Pen cae Hawys**. Ar ôl yr ail ganrif ar bymtheg y diflannodd yr enw Hawys o Gymru nes iddo gael ei adfer yn y ganrif hon. Fodd bynnag, o'r enw **Hawys** y daw'r cyfenw **Hawes** ac fe wn am o leiaf un teulu Cymraeg ym Môn heddiw â'r cyfenw·hwn.

T.R.

Heol-y-march

Enw tyddyn unwaith lle ceir cwpwl o dai bychain erbyn hyn ar ymyl y ffordd sy'n amgylchynu tir fferm Maes Siward (Maes-y-ward, yn anghywir, ar fapiau'r Ordnans) ger Llanddunwyd (Welsh St Donats) ym Mro Morgannwg.

Nid yw'n edrych fel pe bai rhyw lawer o angen 'esbonio' arno, efallai, gan mor amlwg a syml yw ei ffurf, ac enw ydyw hefyd a wnâi gryn synnwyr mewn oes gyn-fodurol. Yn wir, nid yw'r gair **heol** yn gwbl anghymwys ychwaith, cyn belled ag y mae ystyr yr enw yn y cwestiwn.

Yn ei ffurf y bu'r newid amlycaf yng nghwrs amser. **Ollmarch** a geir yn 1603, **Olemarch** 1612, **Olmarch** canol yr ail ganrif ar bymtheg, **Olmargh** 1628, a'r cyffelyb, gan gynnwys **Old march** 1659 gan ysgrifwr di-Gymraeg!

Yr elfen gyntaf wreiddiol yw **ôl** 'llwybr, trac' y cyfeiriwyd at ei ffurf luosog, **olau** wrth drafod yr enw **Uchelolau**, a **Rheola**, Glyn Nedd (sef **Hir-ola(u)** yn wreiddiol), (t.111). Felly, o **ôl(y)march** y datblygodd y ffurf **Heol-y-march** ar lafar gwlad. Yn yr achos hwn, mor gynnar â 1678-80.

Yr hyn y dylid ei bwysleisio yw ei bod yn ymddangos fod **ôl** yn yr ystyr hon yn cael ei ddefnyddio'n fynych yn gynnar i gyfeirio at lwybrau y gellid mewn oesau diweddarach eu galw'n **heol**, ac weithiau gwelir defnyddio **ôl** gydag enwau anifeiliaid dof i ddynodi llwybrau cyfarwydd.

Digwydd yn *Llyfr Llandaf.* Yn orgraff yr hen gasgliad hwnnw, ceir **ol huch** 'ôl hwch', ac **oligabr** 'ôl yr afr', i ddynodi llwybrau sy'n cyd-redeg â ffiniau rhanbarthol, neu blwyfol.

Yn yr achos hwn nid yw'n amhosibl mai cyfeirio a wna at lwybr ar y ffin rhwng plwyf Llanddunwyd a'r rhan ddidoledig gyfagos o blwyf Llancarfan. Y mae cwrs y ffordd bresennol yn awgrymu hynny.

Ceir **Olmarch** hefyd ym mhlwyf Llanrheithan, Sir Benfro, a rhwng Tregaron a Llanbedr Pont Steffan yng Ngheredigion yr oedd pedair o ffermydd, **Olmarch Fawr, Ganol, Isaf** ac **Olmarch Cefn-y-coed** tua chanol y ganrif ddiwethaf.

G.O.P.

Homri

O fewn lled tri neu bedwar o gaeau i'r gogledd o bentref Sain Nicolas fe saif ffermdy **Homri**. Enw pur anghffredin, onid unigryw.

Enillodd le iddo'i hun ym marn yr arbenigwyr fel un o'r tair enghraifft gadarnaf yng nghymdogaeth Caerdydd o enwau ag ynddynt elfen sy'n arwyddo sefydliadau'r Sgandinafiaid cynnar (y **Vikings**) a ymosododd mor llym ar ein glannau — y Cenhedloedd Duon, fel y galwyd hwy gan un hen ysgrifwr.

Yr elfen honno yn yr achos hwn yw'r terfyniad sy'n aros mewn enwau yn Lloegr fel -**by** 'ffermdy, cartrefle, pentref'. Y ddwy enghraifft arall cyfagos yw **Lamby** wrth geg afon Rhymni, gynt **Langby** y bedwaredd ganrif ar ddeg, 'y ffermdy hir', a **Hundemanby** c.1280, 'cartrefle'r cynydd', a welir heddiw yn enw'r stryd **Womanby Street** yng Nghaerdydd.

Er nad yw'r terfyniad i'w weld yn y ffurf bresennol **Homri**, ceir ef yn ffurfiau cynharach yr enw, **Horneby** 1382-3, 1540, **Hornby** y bedwaredd ganrif ar ddeg, **Hornebye (Wood)** 1591-5, **Horne Bye** 1572 a.y.b.

Yr hyn sy'n anodd wrth ystyried yr enwau hyn yw ceisio penderfynu'r ystyr. Rhaid cofio mai oddeutu'r nawfed a'r ddegfed ganrif y digwyddodd ymgyrchoedd y Sgandinafiaid, ac nad oes dim wedi dod i ni ar glawr o'r cyfnod hwnnw. Mewn cymhariaeth, diweddar iawn yw'r ffurf gyntaf sydd gennym o **Homri**, sef ffurf 1382-3. Ni allwn ond ei chymharu â ffurfiau tebyg, fel **Hornby**, yn Swydd Efrog a'r **Hornby** arall enwog yn Sir Gaerhirfryn, lle gall yr elfen gyntaf, **horn**, olygu 'pen bryn' (na fyddai'n hollol addas yn y cyswllt hwn), 'trwyn o dir yn ymestyn allan' (sy'n fwy addas), neu, yn wir, gall fod yn enw personol Sgandinafaidd, **Horni**.

Sut y cafwyd y ffurf **Homri**? Y tebyg yw fod cytseiniaid y ffurf **Hornby** wedi eu trawsosod ar lafar gan roi **Honbry**, **Honbri**, ac i'r -**nb**- fynd yn -**mb**- (fel yr aeth **Llanbedr** yn **Llambed(r)**, gan y ceir **Hombrie** a **Hombrey** yn 1784 ac 1791.

Ymhellach, o'i fynych ddefnyddio gan siaradwyr di-Gymraeg collwyd sain y **b** yn y cyfuniad **mb** (fel yn y Saesneg **comb**, **tomb**, a.y.b.) gan adael **Homri**.

Yn ddiweddarach, tybed ai colli **H**- mewn ynganiad llafar, ynteu ei wybodaeth o'i Feibl a barodd i offeiriad y plwyf gofnodi enw'r fferm fel **Omri** yng nghofrestri'r plwyf yn 1836?

G.O.P.

Lavernock: Larnog

Dyma enw sydd wedi achosi penbleth i genedlaethau o sylwebyddion. Cafwyd nifer o esboniadau ynglŷn â'i ystyr, o hawlio mai enw Sgandinafaidd ydyw i'r awgrym llawer mwy sylweddol mai'r ffurf wreiddiol oedd **llywernog**, cyfansawdd o'r hen air **llywern** 'llwynog' a'r terfyniad -og, 'man lle ceir llwynogod', fel yn enw'r nant a'i chwm ger Ponterwyd yng Ngheredigion.

Nid yw tystiolaeth hen ffurfiau'r enw, fodd bynnag, yn cadarnhau hynny. **Larnog** oedd yr ynganiad lleol, a rhywbeth fel **Larnock** gan y di-Gymraeg. Fe ategir hyn gan **Lannock** 1537, **Laurnock** 1584, **Larnott** 1596-1600 (**tt** = **cc**), a **Larnoc** c.1678.

Yna, dengys y gweddill o ffurfiau'r enw a gasglwyd mai **laver-** yw ffurf yr elfen gyntaf, fel bod y ffurf **Lavernock** yn bur agos i'w lle. Hefyd, mai'r ffurf Saesneg gyffredin **(k)nock**, Hen Saesneg **cnocc** 'bryncyn' yw'r ail elfen.

Y mae hyn yn gweddu'n burion i'r sefyllfa dopograffaidd gan fod y rhan fwyaf o dir y plwyf ar lethr bryncyn amlwg y mae Môr Hafren, sydd wrth ei droed, wedi treulio cryn dipyn arno erbyn hyn.

Enw Saesneg, felly, yn ôl pob arwydd, a phriodol yw ceisio elfen Saesneg fel elfen gyntaf. O gymryd i ystyriaeth enwau yn Lloegr fel **Laverstock**, **Laverstoke**, a **Laverton** dros y môr yng Ngwlad yr Haf, ceir mai'r Hen Saesneg **lawerce** 'ehedydd' (a roes **lark** mewn Saesneg Diweddar) yw'r elfen gyntaf.

Y ffurfiau cynharaf ar **Lavernock** yw **Lawernak**, **Lawernach**, yn y drydedd ganrif ar ddeg, cyn i'r ffurf amrywiol ar fôn yr elfen gyntaf, **laver-**, ymddangos yn gyson o hynny ymlaen.

Gellir cynnig yn weddol ffyddiog, felly, mai 'bryncyn a fynychir gan ehedyddion' yw ystyr **Lavernock**, ac y mae'n ddiddorol sylwi na fethodd llygaid y bardd â sylwi ar y nodwedd hon, neb llai na Saunders Lewis, yn ei gerdd fer i 'Lavernock'—

> Gwaun a môr, cân ehedydd
> Yn esgyn trwy libart y gwynt.

G.O.P.

Lecwydd

Yr hen esboniad ar enw'r plwyf a'r amlwd hwn rhwng Caerdydd a Phenarth, sy'n ymddangos yn gyson fel **Leckwith**, yw mai ffurf ydyw ar **llechwedd**, gan fod y sefyllfa ar y tir sy'n codi ar ochr orllewinol afon Elái yn awgrymu hynny.

Os felly, mae'n rhaid derbyn bod yr -**ch**- ganolog wedi ei chaledu'n -**c**- erbyn canol y ddeuddegfed ganrif, gan nad oes arlliw o'r -**ch**- honno ymhlith y nifer sylweddol o ffurfiau cynnar yr enw sydd ar gael, hyd nes ceir y ffurf **Lechwyth** yn 1578 gan Rhys Amheurig o'r Cotrel. Gall honno'n hawdd fod yn ffurf a luniwyd i wneud synnwyr ohoni.

Ni ellir rhestru'r holl ffurfiau yma, ond y ffurf gynharaf yw **Leocwth(a)** 1153-83, wedyn **Lecwithe** 1179, **Lequid** 1184-5, **Lecquid** 1233, **Lekwith** 1306-7, **Lequyth** 1306-7, ac yn y blaen.

Mwy diogel fyddai derbyn yr awgrym mai enw personol, enw 'sant', a fyddai'n ymddangos fel **Helygwydd** heddiw, a geir yma. Digwydd yn y ffurf **Helicguid**, **Elecuid**, yn *Llyfr Llandaf*, ac yn yr enw **fynnaun elichguid** yng Ngwent, yn yr un ffynhonnell.

Cyfansawdd yw hwn o **helig** a **gwŷdd** 'prennau, coed', ac er mor anarferol yr ymddengys i ni heddiw, y mae'r ffurf **helig**, **helyg** yn digwydd fel enw person ar ei ben ei hun ac mewn enwau lleoedd, yn ogystal â bod yn ffurf luosog enw'r pren **helygen**, beth bynnag yw'r cysylltiad.

Haws derbyn, felly, mai enghraifft o'r -**g**- yn caledu rhwng llafariad ac -**w**- a geir yma, fel yn **Wicwer**, ffurf lafar **Wigfair** (Dinbych), a'r enw personol **Tecwyn**, o **Tegwyn**.

Hefyd, collwyd y sillaf gyntaf, (**H**)**e**- ar lafar i roi **Lecwydd**, fel y cafwyd **Leri** o **Eleri**, **Lywlod** o **Elyflod**, **Liddon** o **Eliddon**, ac enw'r afon **Lai** o **Elái**.

Os cywir yr esboniad hwn, y mae'r enw i'w osod ymhlith enwau'r plwyfi hynny lle ceir enw'r nawddsant yn unig heb elfen fel **llan** neu **merthyr** o'i flaen, fel **Ceidio**, **Baglan**, **Gwytherin**, **Llywes** a'u tebyg.

G.O.P.

Litchard

Cafwyd nifer o ymholiadau ynglŷn â'r enw hwn, enw ardal ogleddol Pen-y-bont ar Ogwr. Dros ganrif yn ôl, ac yn ddiweddarach, un ffermdy unig yn y cyffiniau ydoedd, yn dwyn yr enw **Lydiat farm** c.1798, ac fe'i dangosir ar fap modfedd-i'r-filltir cyntaf Swyddfa'r Ordnans yn 1833.

Yn rhyfedd, o gofio'r cawl a wnaed o lawer o enwau Cymraeg gan arolygwyr y mapiau cynnar, **Llidiart** yw'r enw a geir ar fap 1833, ac nid oes amheuaeth am ei gywirdeb. Fe'i hategir gan nifer go dda o ffurfiau dogfennol, gan ddechrau gyda **Lydeard** 1452 (a ddisgrifir yn Saesneg fel 'a toft'), **lidiat** 1598, **llydiard** 1636, **Llyddiart** 1720, **lidiad** 1721, **Lydiart** 1783, i nodi rhai.

Dan ddylanwad y Saesneg, y mae'n amlwg, y datblygodd y ffurf bresennol **Litchard**.

Yn gyffredin, heddiw, ystyr **llidiart** yw 'iet, gât, clwyd', a benthyciad ydyw o'r Hen Saesneg **hlidgeat**, o'r un ystyr, yn arbennig clwyd mewn wal neu fagwyr i rwystro anifeiliaid rhag crwydro o'u porfa. Yn yr enghraifft hon, y mae'n dra thebyg, crwydro i ddrysni'r tir coediog trwchus oddi amgylch a oedd yn gymaint nodwedd o'r plwyf y safai'r ffermdy ynddo yn yr Oesoedd Canol.

Nid amhriodol sylwi mai plwyf y **Coety** oedd hwnnw, lle ceir **Pen-coed**, **Tor-coed**, **Coed-y-gaer**, **Prysg**, **Coedypebyll**, **Coedymwstwr**, a nifer o enwau 'coediog' eraill yn ogystal.

Rhestrir nifer o enghreifftiau o'r enw yng *Ngeiriadur Prifysgol Cymru*, yn eu plith y ffurf luosog, **Llidiardau**, yn agos i Graigcefnparc ger Clydach Cwmtawe. Hwnnw a geir ar fap chwe modfedd 1884, ond **Llydiad y park** yn 1751, **Llydiard-y-Park or the Mountain Gate** 1827. Amlwg yw fod y **parc** yn nodwedd bwysig o'r ardal honno, ac yno ceir hefyd **(Y) Fagwyr** fel enw fferm a all fod i'w chysylltu â'r enw **Llidiart y fagwyr** a geir mewn dogfen annyddiedig, gan fod hwnnw hefyd yn amrywiad posibl ar yr enw sy'n aros heddiw fel **Llidiardau**.

Onid yr Athro Henry Lewis, ers talwm, a sylwodd mai ynganiad lleol yr enw hwn yw **Llidiate**, ffurf unigol?

G.O.P.

Llandarcy

Mae'n debyg nad oes yna elfen sy'n digwydd yn amlach yn enwau ein plwyfi, ein pentrefi a'n hardaloedd drwy Gymru oll na'r gair bach **llan**. Y mae gan y gair **llan** dras hynafol yn y Gymraeg a'r ieithoedd Celtaidd eraill. Gan fod y Gymraeg a'r Saesneg yn deillio o'r un teulu o ieithoedd — yr ieithoedd Indo-Ewropëaidd a ledodd o ogledd yr India ac ar draws Ewrop — y mae cysylltiad pur glòs, coeliwch neu beidio, rhwng **llan** a'r gair Saesneg **land** 'tir'.

Ystyr gwreiddiol **llan** yn y Gymraeg oedd 'darn o dir wedi ei gau' a dyma'r ystyr hyd heddiw mewn geiriau megis **perllan**, **gwinllan** a **corlan**. Yn gynnar iawn fodd bynnag daeth y gair i olygu 'mynwent wedi ei chau i mewn' ac yna'r eglwys tu mewn i'r fynwent ac yn olaf y darn tir a wasanaethid gan yr eglwys honno a'i hoffeiriad — y plwyf. Yn bur aml dilynwyd **llan** gan enw nawddsant y plwyf neu sylfaenwr yr eglwys — megis **Llangadog**, **Llanfwrog**, **Llanbedr** neu **Llandeilo**. Gydag enwau fel **Llanfair** neu **Llanfihangel** yn aml ychwanegwyd enw'r fro lle safai'r eglwys fel yn **Llanfihangel-y-Creuddyn** a **Llanfair-yng-Nghornwy**. Dro arall enw afon neu nodwedd ddaearyddol sy'n dilyn **llan** fel yn **Llanelwy**, **Llangefni**, **Llanfynydd** neu **Llanrhaeadr**. Daeth yr elfen **llan** mor gyffredin nes iddi ddisodli elfennau eraill sydd hefyd yn golygu eglwys megis **merthyr** a'r elfen **eglwys** ei hun. Ym Môn aeth **Merthyr Caffo** yn **Llangaffo** ac **Eglwys Ail** yn **Llangadwaladr**. Disodlodd **llan** elfennau topograffyddol hefyd. Yng Nghaergybi aeth **Glan-traeth**, enw fferm, yn **Llan-traeth** ac ym Morgannwg aeth **Nantcarfan** yn **Llancarfan**.

Erbyn y ddeunawfed ganrif gallai **llan** olygu fferm ger yr eglwys blwyf, cartref y clochydd neu'r gymdogaeth ger yr eglwys a dyma sydd tu ôl i enwau megis **Fferam-y-llan**, **Tyn-llan**, a **Llawr-y-llan**. Yr oedd enwau'n cynnwys **llan** yn dal i gael eu bathu yn y ganrif ddiwethaf.

Beth felly am **Llandarcy**, pennawd yr ysgrif hon? Yn ofer y chwiliwch am sant neu afon neu fro o'r enw **Darcy** ac yn ofer hefyd y chwiliwch am hen ffurfiau ar yr enw. Y mae **Llandarcy** yn enghraifft hynod a diweddar o enw lle yn cynnwys **llan**. Bathwyd ef rhwng 1919 ac 1922. Enw ydyw ar safle'r burfa olew fodern gyntaf ym Mhrydain a'r pentref gerllaw. Saif ychydig i'r de o'r Sgiwen ger Abertawe. Adeiladwyd y burfa gan yr Anglo-Persian Oil Company ac un o sylfaenwyr y cwmni hwn oedd William Knox D'arcy. Ganed ef yn Newton Abbott, Dyfnaint yn 1849 ond ymfudodd ei deulu i Awstralia. Priododd yno ddwywaith a gwnaeth ffortiwn yn y meysydd aur. Tua diwedd y ganrif ddiwethaf dychwelodd i Brydain a throes ei sylw oddi wrth aur melyn ac at yr 'aur du'. Yn 1901 cafodd yr hawl gan lywodraeth Persia i chwilio am olew a'i godi drwy ran helaeth o Ymerodraeth Persia a'i allforio. Sefydlwyd yr Anglo-Persian Oil Company yn 1909 ac adeiladwyd y burfa gyntaf yn Abadan yn 1913. Bu William Knox D'arcy farw yn 1917 ac er cof amdano galwyd purfa gyntaf y cwmni ym Mhrydain yn **Llandarcy**, ger Abertawe.

T.R.

Llanfair-is-gaer

Enw'r plwyf lle saif pentref **Y Felinheli/Portdinorwic** rhwng Bangor a Chaernarfon yw **Llanfair-is-gaer** ond pur anaml y clywir yr enw heddiw.

Saif y pentref ger safle melin a yrrwyd gan rym heli'r môr ac yn ystod y ganrif ddiwethaf a'r ganrif hon allforiwyd llechi Chwarel Dinorwig oddi yno.

Cofnodir ffurf gynharaf enw'r plwyf **Lanfeir** yn 1352. Yn ystod y bedwaredd ganrif ar ddeg a'r bymthegfed ganrif digwydd y ffurf **Llannerchestrik** sawl gwaith. Dangoswyd yn bur amlwg erbyn hyn fod clercod y cyfnod wedi cymysgu **Llanfair** a **Botandreg**, trefgordd yn yr un plwyf, ac wedi gwneud un enw llwgr o'r ddau.

Yna, o'r unfed ganrif ar bymtheg ymlaen cofnodir ffurfiau megis **Llanvayre ysgaer** a **Llanvair Isgaier** yn bur gyson. Y dyb gyffredin yw fod rhan olaf yr enw yn cyfeirio at gastell Caernarfon.

Ond, tybed, a yw hyn yn gywir mewn gwirionedd? Saif Llanfair-is-gaer yng nghwmwd Arfon Is Gwyrfai — y rhan honno o gantref Arfon a saif i'r dwyrain o afon Gwyrfai. Am ganrifoedd lawer cyfeiriai clercod a gweision y Goron at y cwmwd hwn, **Is Gwyrfai**, trwy ddefnyddio'r byrfodd **Isgor'**, ac y mae dwsinau o enghreifftiau o'r byrfodd hwn ar gael ar glawr heddiw.

Yn fy marn i, olion yr hen fyrfodd **Isgor'** a welir yn **Llanfair-is-gaer**. Byddai'n hollol resymol a theg i weinyddwr yn yr Oesoedd Canol gyfeirio at blwyf **Llanfair** yng nghwmwd **Is Gwyrfai** trwy ddefnyddio ffurf megis **Llanfair Isgor**.

Yna yn ystod hanner cyntaf yr unfed ganrif ar bymtheg ystumiwyd ail hanner yr enw gan rywun a gwneud **Isgaer** ohono. Byddai hyn hefyd yn ymddangos yn rhesymol ar y pryd gan fod yna gastell enfawr yng Nghaernarfon gerllaw.

Gydag enw plwyf cyffredin megis **Llanfair** yr oedd yn arfer gynt ychwanegu enw'r cartref neu'r cwmwd lle safai at yr enw i nodi'n union ble'r ydoedd. Dyna sydd tu ôl i enwau megis **Llanfair Dyffryn Clwyd**, **Llanfair Llythyfnwg** a **Llanfair-yng-Nghedewain**.

T.R.

Llanofer: Merthyr Mawr

Gan mai enw personol, enw 'sant', sy'n dilyn yr elfen **llan** yn y mwyafrif mawr (ond nid y cwbl) o'r enwau lleoedd hynny sy'n ei chynnwys, a chan fod ffurfiau cynharach ar yr enw **Llanofer** yng Ngwent yn ffafrio **Llanfofor** fel ffurf gywirach arno, derbyniodd hynafiaethwyr y ganrif ddiwethaf yr awgrym mai **Gofor** oedd enw'r sant a goffeir ynddo.

Yng ngerddi plasty Llanofer Fawr hefyd yr oedd ffynnon y dywedid ei bod yn gysylltiedig ag eglwys y plwyf, a'i henw hithau oedd **Ffynnon Ofer**. Tadogwyd hwnnw, yn y ffurf **St Gofor's Well**, fel enw ar ffynnon yng Ngerddi Kensington, Llundain, gan Benjamin Hall, Arglwydd Llanofer, y 'Big Ben' gwreiddiol, a gŵr yr enwog Arglwyddes, 'Gwenynen Gwent'.

Camgymeriad oedd hynny gan fod ffurfiau cynharach fyth mewn hen ddogfennau eglwysig o'r drydedd a'r bedwaredd ganrif ar ddeg yn awgrymu mai'r hen enw personol **Myfor** sydd yma, gyda llafariad y goben yn **Llanfyfor** yn ymdebygu i lafariad y sillaf olaf i roi **Llanfofor**, ac yna **Llanofer**, a'r amrywiad **Llanofer**, yn dod i fodolaeth trwy golli'r **-f-**, fel yr aeth **Rhiwfabon** yn **Rhiwabon**, a **Bodfwrog** yn **Bodwrog** a.y.b.

Wedyn, yn *Llyfr Llandaf* ceir yr enw **Merthir Myuor, Merthir Mimor** (**Merthyr Myfor** yn ein horgraff ni heddiw) gydag amrywiadau sy'n cynnwys **Merthir Mouor** (**Merthyr Mofor**), ond gwahanol iawn fu hanes yr un enw personol sy'n ffurfio ail elfen yr enw hwnnw ag sydd yn **Llanofer**, gan iddo dreulio ar lafar dros y canrifoedd i roi i ni y ffurf bresennol **Merthyr Mawr**, ym Mro Morgannwg, ac yn awgrymu rhywbeth tra gwahanol, a'i gymryd felly gan rai ysgolheigion hyd yn oed.

Pwy fuasai'n meddwl, ar yr olwg gyntaf, mai pâr o gyfystyron yw **Llanofer** a **Merthyr Mawr** i bob pwrpas ymarferol — os cymerwn ni nad oes cymaint â hynny o wahaniaeth yn arwyddocâd **llan** a **merthyr** mewn enwau lleoedd erbyn heddiw?

G.O.P.

Llantriddyd

Un o bentrefi bychain Bro Morgannwg yw hwn sy'n nodedig am adfeilion ei blasty, **Llantriddyd Place**, a godwyd ger eglwys y plwyf yn yr unfed ganrif ar bymtheg.

Mynnai Iolo Morganwg mai **Treiddyd Sant**, o Lanilltud Fawr, a gododd yr eglwys, ac mewn man arall **Llan Treuddyd** yw'r enw a rydd arni. Fe'i dilynwyd gan amryw, gan gynnwys Dafydd Morganwg yn ei *Hanes Morganwg* (1874).

Ehangwyd y dewis gan un ysgolhaig eglwysig a gredai mai enw **Trynihid** (**Trinihid**), gwraig Illtud, yn ôl traddodiad, a geir fel ail elfen yr enw, ar ôl **llan**.

Gellir amau hyn oll yn wyneb y ffaith seml y disgwylid i'r -t- ar ddechrau enw sant neu santes sy'n dilyn yr enw benywaidd **llan** dreiglo'n feddal, fel yn **Llandeilo**, **Llandudno**, **Llandwrog** a.y.b., ond nid felly y mae hi yn y cyswllt hwn.

Teg gofyn, felly, ai **llan** yw'r elfen gyntaf, wedi'r cwbl?

Er mai **Lanririth** 1254, **Lanririd** c.1262, **Lanryred** y drydedd ganrif ar ddeg ac yn y blaen, a geir ymhlith y ffurfiau cynharaf, nid oes llawer o dystiolaeth bod **t-** na **d-** ar ddechrau'r ail elfen, a phan ddeuir at ffurfiau'r enw yn yr unfed ganrif ar bymtheg sy'n deillio o ffynonellau cwbl Gymreig, yr hyn a geir yw **Nantririd** c.1545, 1569 a.y.b.

Dengys hyn mai'r hen enw gwrywaidd **Rhirid** yw'r ail elfen, heblaw'r ffaith amlwg mai **nant**, ac nid **llan**, oedd yr elfen gyntaf wreiddiol. Olion -t derfynol **nant** yw'r hyn a ymddengys fel **t-** gyntaf yr ail elfen heddiw.

Gwyddom, wrth gwrs, fod **llan** wedi disodli **nant** yn gynnar mewn rhai enwau, yn arbennig os oeddynt yn ganolfannau crefyddol, fel **Llancarfan**, **Llantarnam** (**Nant Teyrnon**), a **Llantoni** (**Nant Hoddni**).

Hefyd, enghraifft sydd yn **Nantrhirid** o enw personol fel enw nant, nid peth anghyffredin. Rhed y nant drwy'r pentref, ac fe'i gelwir hi bellach ar yr enw 'dwbl', **Nant Llantriddyd**.

Gyda llaw, **Llantrithyd** yw'r sillafiad a welir yn aml dan ddylanwad orgraff Saesneg. Ni seinir yr **-th-** fel yn **thing**, neu **thin**, ond fel yn **the** a **this**. Digwydd yr un peth gyda **Aberthaw** am **Aberddaw(an)**. Rhywbeth i'w osgoi.

G.O.P.

Llanwrtud a'r Bere

Cofnodir yr enw **Llanwrtud** gyntaf yn 1553 yn y ffurf **Llanwrtid**. Ychydig iawn o newid a welir yn yr enw wedyn ar wahân i ychydig o amrywiaeth sain yn y sillaf olaf. Y mae'n bur debyg mai'r enw personol gwrywaidd **Gwrtud** yw'r ail elfen, ac y mae'n bosibl mai **Gwrdud** oedd ffurf wreiddiol yr enw. Fe ddigwyddodd **tud**, 'gwlad, pobl', ail elfen yr enw personol hwn, yn bur aml mewn hen enwau personol Cymraeg megis **Tudlith**, **Tudno**, **Tudri**, **Tudur** a **Tudwal**.

Fodd bynnag, ni chofnodwyd unrhyw enghraifft arall o'r enw personol **Gwrtud** ac ni cheir unrhyw wybodaeth am ŵr o'r un enw yn unman ar glawr. Dewi yw nawddsant Llanwrtud heddiw ond y mae yna beth tystiolaeth sy'n dangos mai'r santes **Tudglud** oedd y nawddsant wreiddiol. Y mae'n bosibl mai'r lleygwr a sefydlodd yr eglwys yn Llanwrtud oedd Gwrtud a bod yr holl wybodaeth amdano bellach wedi mynd dros gof.

A beth am **bere**? Y mae'r elfen hon yn digwydd mewn nifer o enwau lleoedd yng Nghymru. Y mae'n debyg mai'r enghraifft enwocaf yw **Castell y Bere**, Llanfihangel-y-Pennant, Meirionnydd. Yn ôl pob tebyg ffurf ar **berau**, ffurf luosog **bêr** 'picell, gwaywffon, gwialen fain' yw **bere** ac y mae'n berffaith bosibl fod yr elfen hon mewn enwau lleoedd yn cyfeirio at greigiau llym, pigfain.

T.R.

Llanyrnewydd

Wrth drafod **llodre** fel elfen mewn enwau lleoedd yn ddiweddar (t.69), nodais y ffurf ansoddeiriol **Llodrog** ger Pen-clawdd, yng Ngŵyr, mewn man lle ceir eglwys yn y cyffiniau. Dyma'r eglwys sy'n dwyn yr enw anghyffredin **Llanyrnewydd**.

Ar un adeg, yr oedd yn gapel anwes i Lanrhidian, a bu cyfnod pan gyfeirid ato fel Capel Llanrhidian, nes tadogi statws bywoliaeth arno erbyn 1924.

Yn swyddogol, **St Gwynnour's**, **Llanyrnewydd** yw'r enw heddiw, ond y mae'n amlwg bod ceisio gwneud synnwyr o'r hyn sy'n ymddangos fel **yr** + yr ansoddair cyffredin **newydd**, ar ôl **llan**, wedi achosi cryn dipyn o grafu pen ynglŷn ag enw'r nawddsant.

Seisnigiad o **Gwynnwr** yw **Gwynnour**, ac y mae'n wybyddus mai ffurf fel **Llanweynour**, a gynigiwyd gan hanesydd eglwysig yn 1733, sydd wrth wraidd hynny.

Yn llawer cynharach, yn 1499, ceir y ffurf **Lanyynewis** mewn llawysgrif, ac o ystyried gwallau cam-gopïo, gellir darllen **Lanynewir**. Gwireddir hyn gan nifer o ffurfiau ar glawr nes daw **Llanynewer** yn bendant yn 1587.

Ar sail nifer o gysegriadau i sant o'r enw **Eneour** yn Llydaw, gellir meddwl am ffurf gyfochrog **Enewyr**, **Enewir**, yn Gymraeg, a chan fod acen gref ar yr ail sillaf, hawdd derbyn fod yr **-e-** ddiacen wedi mynd yn **-y-** ar ôl **llan**, a rhoi **Llanynewyr**, **Llanynewir**.

Cadarnhawyd bodolaeth **Enewyr**, **Enewir**, fel enw personol Cymraeg gan Syr Ifor Williams drigian mlynedd yn ôl wrth ddehongli'r arysgrif **ENEVIRI**, o'r 7-9fed ganrif.

Llanenewyr, felly, a aeth yn **Llanynewyr**, ac yna **Llanyrnewydd** o edrych ar yr **-y-** ganolog fel y fannod Gymraeg, ei 'hadfer' i'w ffurf lawn **yr**, ac i rywun geisio gwneud ystyr o'r elfen ddiystyr **-newyr** a'i throi'n **-newydd** — heb lwyddo'n ysgubol, gallwn feddwl.

G.O.P.

Llodre

Prin y byddai neb yn disgwyl gweld y gair **llodrau** 'trowsus, clos' fel elfen mewn enwau lleoedd, ond y mae yr hen air **llodre** yn digwydd mewn rhai enwau, ac y mae hwnnw yn edrych fel pe bai'n ffurf lafar ar **llodrau**.

Oherwydd y tebygrwydd rhwng y ffurfiau nid yw'n syndod fod ymdrechion wedi eu gwneud i newid gwedd ambell un o'r enwau sy'n cynnwys **llodre** er mwyn parchusrwydd.

Collwyd y ffurf gynnar **hen lotre elidon** a geir yn *Llyfr Llandaf* (**Hen Lodre Eliddon** yn ein horgraff ni heddiw), sy'n enw ar fan yn ffiniau **ecclesia Elidon** yn yr un ffynhonnell, sef Llwyneliddon (St. Lythan's) ger Gwenfô.

Yn ardal Sgeti, Abertawe, cofnodir **Lodre Bryth** 1583, **Llodrybrith** 1764, lle ceir **brith** 'brychlyd' fel elfen ddisgrifiadol mewn enw nas arferir yn gyffredin heddiw, i mi wybod.

Yn **Llandremôr** (gyda'r acen ar y sillaf hir olaf) ger Pontarddulais, fodd bynnag, **Lladremor** oedd ffurf yr enw cyn 1569, a **Llodremor** 1584, sef **llodre** + yr hen enw personol **Môr**, ond daeth **llandre** i mewn erbyn 1764, fel yn enw'r lle ger Aberystwyth, dan ddylanwad **llan**, efallai.

Yn **Llety Brongu** yng Nghwm Llynfi daeth **llety** i mewn yn lle **llodre**, gan mai **Llodre Brangye** ydyw yn 1570, a **Llodre Brangig** 1584, lle gwelai R.J. Thomas yr hen enw personol **Brangu** fel ail elfen, a all fod yn ffurf ar **Brancu(f)** a geir mewn arysgrif sydd yn dyddio o'r nawfed i'r ddegfed ganrif.

Yr oedd yr enw **Gelli Lotre**, **Gelli Lotra**, i'w gael yn Llangeinwyr yn 1833, ac y mae nifer o leoedd eraill a'u henwau yn cynnwys yr elfen. Efallai, hefyd, mai ffurf gysylltiedig yw **Llotrog**, ger Pen-clawdd yng Ngŵyr (**Laydrogg** 1688, **Llodrog** 1748), ac ym mhlwyfi Llangennech a Phen-bre.

Beth yw ystyr **llodre**? Cytunir ei fod yn gytras â'r Wyddeleg **láthrach** 'safle tŷ, neu eglwys, neu adeilad arall: mangre' yn ôl Syr Ifor Williams, ac y mae cysylltiad eglwysig pur gynnar yn amlwg ynglŷn â rhai o'r lleoedd y ceir ef yn rhan o'u henwau, ond ni ellir dweud llawer mwy na hynny ar hyn o bryd.

G.O.P.

Llwyneliddon

Nid yw pawb mor gyfarwydd ag y dylent fod â'r ffurf Gymraeg hon ar enw **St Lythan's** ym Mro Morgannwg, ond y mae'r dystiolaeth ddogfennol sydd ar gael yn gadarn dros ei hynafiaeth.

Mewn hen siartr yn *Llyfr Llandaf* a all gyfeirio'n ôl i'r seithfed ganrif, nodir **ecclesia Elidon** 'eglwys Eliddon', a hynny a geir hefyd yn gyson mewn dogfennau eglwysig o'r ddeuddegfed ganrif, yn ogystal â chyfeiriadau at **luin Elidon** 'llwyn Eliddon'.

Yn y siartr hefyd cyfeirir at **hen lotre Elidon** o fewn ffiniau tir yr eglwys, lle ceir yr hen air **llodre** 'safle tŷ, neu eglwys neu adeilad arall: mangre' yn ôl Syr Ifor Williams (t.69), oni ni wyddom ddim am leoliad hwnnw.

Y tebyg yw mai enw personol gwrywaidd yw **Eliddon** yn yr holl gysylltiadau hyn, gan mai yn y ffurf Ladin **ecclesia Sancto Lythano** y cyfeirir at yr eglwys hyd yr unfed ganrif ar bymtheg, cyn i'r ffurf Seisnig **St Lythan's** ddod i'r amlwg.

Cywasgiad o'r enw **Eliddon**, ar ôl colli'r sillaf gyntaf ddiacen a llacio tipyn ar y llafariaid, yw **Lythan**, lle y mae'r **-th-** Saesneg i'w hynganu fel **-dd-** Gymraeg.

Fodd bynnag, erbyn yr unfed ganrif ar bymtheg fe ymddengys fod y ffurf **Llwyneliddon** yn cael ei harddel: **Lluen Lithan** 1536-9, **Llwyn Lyddon** 1550, **Lloinellithan** 1563 a.y.b., gyda ffurf lafar, **Llwyn Ddyddan** 1754-1805, trwy gymathiad cytseiniaid.

Parhau yn aneglur y mae'r rheswm am hyn. Go brin mai adferiad 'dysgedig' ffurf yr hen siartr yn *Llyfr Llandaf* a geir yma ar lafar.

At hynny, y mae cryn dystiolaeth i'r ffaith fod ffurfiau ar yr enw yn dechrau â **llan** (? i gyfateb i'r ffurf Saesneg **St Lythan's**) yn arferedig yn yr un cyfnod: **Llan lidan** 1545-53, **ll(an) liddan** c.1566, 1606, **Llan Leiddan** 1590-91 a.y.b., a'r ffurf a geir gan Hywel Harris yn 1740 yw **Llanddiddan**.

Tybed a ellir cynnig yn betrus mai'r ffurf hon a esgorodd ar y ffurfiau diweddar mewn **llwyn**, gan fod **llwyn** a **llan**, fel y gwyddys, yn ymgyfnewid ar lafar weithiau mewn enwau fel **Llangwaran/Llwyngwaran**, **Llangwathan/Llwyngwathan** (Penfro), **Llanhywel/Llwynhywel** (Maesyfed)?

G.O.P.

Llyswyrny

Pentref bychan hyfryd, ond lled ddi-nod, ynghanol Bro Morgannwg yw **Llyswyrny**, neu **Lisworney** ar y mapiau, ac nid hawdd heddiw yw dychmygu pwysigrwydd ei leoliad yn yr Oesoedd Canol.

Dyma lle'r oedd **llys** (yr elfen gyntaf yn yr enw) un o hen gantrefi Morgannwg, y cantref hwnnw a adwaenid am flynyddoedd — ers dechrau'r bymthegfed ganrif o leiaf — fel **Cantref Gorfynydd**, a chan rai, gwŷr eglwysig yn arbennig, fel **Groneath** neu **Gronedd** (gan dybio cysylltiad â **Nedd**, efallai), a daeth hwn i gael ei arfer fel enw deoniaeth yn esgobaeth Llandaf.

Prin fod gofod yma i sôn am yr holl amrywiadau ar ffurf yr enw sydd ar gael, ac y maent yn niferus, ond dangosodd y diweddar Athro Melville Richards mai hon oedd yr ardal a âi dan yr enw **guorinid** neu **wurhinit**, yna **Gurinid** yn y ddeuddegfed ganrif, sef **Gwrinydd** mewn Cymraeg Diweddar.

Ei esboniad rhesymol a chwbl dderbyniol ar hwn oedd ei fod yn un o'r dosbarth hwnnw o enwau lle ceir enw personol + y terfyniad -**ydd** sydd yn dynodi tiriogaeth y person a enwir, fel yn **Eifionydd, Meirionnydd** a.y.b.

Yn yr achos hwn, felly, **Gwrin** + **ydd**. Ceir enghraifft o'r enw personol fel ail elfen **Llanwrin**, yn Sir Drefaldwyn, ac y mae'n dra thebyg hefyd fod ffurf anwesol ar yr enw i'w gael, sef **Gwrai**, oherwydd fe ddywedir yn hen fuchedd Sant Cadog bod **Gurai** wedi derbyn **Gurinid** ar farwolaeth ei dad.

Llyswrinydd, felly, yw sail y ffurfiau **Llyswyrny** a **Lisworney**. Ni thâl, bellach, ceisio ei esbonio fel **Llysyfronnydd** neu **Llys Ronwy** (yr enw personol **(Go)ronwy**), na'i gysylltu â **brwyn**, fel y gwnaeth yr hen hynafiaethwr John Leland yn yr unfed ganrif ar bymtheg, yn ei ffurf **Llesbroinith**.

G.O.P.

71

Machen

Mewn adargraffiad diweddar o gyfrolau gwerthfawr Syr Joseph Bradney ar hanes yr hen Sir Fynwy, ni newidiwyd cynnig petrus yr awdur mai ar ôl y sant **Meugan** yr enwyd plwyf a phentref sylweddol **Machen**. Ond yr oedd gynt yn enw hen arglwyddiaeth Gymreig, rhan, efallai, o **Gyfoeth Meredydd**.

Heblaw'r ffaith nad enw eglwysig yw **Machen** yn wreiddiol, yn ffurfiau cynharaf yr enw ar glawr -**a**- yw llafariad y sillaf gyntaf yn gyson, ac er i'r -**ch**-ganolog achosi peth trafferth i ysgrifwyr di-Gymraeg yr hen ddogfennau, fel yn **Mahhayn** 1102, **Maghein** 1439, **Machein** 1442, **Magheyn** 1499-1500 a.y.b. hi yn sicr a gynrychiolir gan eu hymdrechion hwy, ac nid -**g**-.

I Fichael yr Archangel, hefyd, y cysegrwyd eglwys y plwyf, er ei bod yn bur amlwg mai'r enw personol **Cein**, **Cain**, yw'r ail elfen yn y ffurf **Machen**.

Cyfansawdd yw'r enw o'r hen air **ma**- 'gwastadedd, tir agored' nas ceir ar ei ben ei hun heddiw ond sydd i'w weled yn y gair **maes**, ac yn y terfyniad -**fa**, yn **morfa**, **porfa**, a.y.b.

Hefyd, y mae cytsain gyntaf yr elfen sy'n dilyn **ma**- mewn enw cyfansawdd yn treiglo'n llaes, fel y gellid galw gwastadedd neu dir agored a oedd yn perthyn i rywun o'r enw **Cynllaith** yn **Machynllaith**, sef **Machynlleth** heddiw. Enwau tebyg eu ffurfiant yw **Mathafarn**, **Mathrafal**, ac yn ôl pob tebyg, **Mallwyd**.

Gyda **Cain**, felly, ceid **Machein**, **Machain**, 'maestir **Cein** neu **Cain**' ar lan afon Rhymni a aeth ar lafar yn **Machan** a **Machen**. Y mae yn gymar i'r enw **Mechain** ym Mhowys, sydd i'w gysylltu â'r enw a welir yn enw afon **Cain**, ond bod cyfnewidiad llafarog wedi digwydd yn y sillaf gyntaf yn hwnnw.

Mae **Machen** arall ym Morgannwg, ym mhlwyf Llangeinwyr (Llangeinor ar y map) yng Nghwm Ogwr, sef **Eglwysgeinwyr** yn gynharach. Yr enw yw **Cefnmachen**, a'r hyn sy'n ddiddorol yw mai enw benywaidd, y santes **Cein**, y **wyryf** '*virgin*', -**ceinwyr**(**yf**), sy'n ffurfio ail elfen enw'r plwyf.

Estyniad i'r de o'r bryndir rhwng afonydd Ogwr a Garw y saif yr eglwys arno oedd **Cefnmachen** yn wreiddiol (enw dwy fferm yn awr), ac nid anaddas cael **Ma-chain** fel rhan o enw yn y parthau hynny, dan yr amgylchiadau.

G.O.P.

Maesglasau

Mae yna ambell enw lle yng Nghymru sy'n hysbys i bawb oherwydd ei gysylltiad ag un person. Pwy, tybed, fyddai wedi clywed am Bantycelyn oni bai am William Williams, am Faes-y-plwm oni bai am Edward Jones, am Benderyn neu Nyth-brân oni bai am Dic a Guto, neu am Y Glais oni bai am T.E. Nicholas?

Enw cyffelyb yw **Maesglasau**, enw fferm ym mhlwyf Mallwyd, Meirionnydd. Cysylltir yr enw yn bennaf â Hugh Jones (1749-1825) awdur yr emyn enwog 'O tyn y gorchudd yn y mynydd hyn'. Ar y cychwyn ymddengys yr enw yn un hawdd i'w esbonio ond y mae'r ail elfen **glasau** yn anodd. Mae'r enw ganrifoedd yn hŷn na chyfnod Hugh Jones a newidiodd lawer. Cofnodir ef gyntaf yn 1425, a'r ffurf yw **Maesglasivre**. Erbyn 1695 **Maesglasre** oedd y ffurf, ac yn 1765 cofnodir **Maesglassey**. O osod y ffurfiau allan fel hyn gwelir mai **Masglasfre** oedd ffurf wreiddiol yr enw, ac mai **glasfre** 'bryn gwyrdd' oedd yr ail elfen. Collwyd yr -**f**- yn gyntaf, ac yna'r -**r**-, rhywbeth a ddigwydd yn bur aml mewn enwau lleoedd yng Nghymru. Arferwyd y ffurf **Maesglase** am beth amser ac yna newidiwyd hwn hefyd i **Maesglasau**.

Glasfre oedd enw gwreiddiol Mynydd Rhiwabon, ac o graffu ar ffurfiau'r enw hwn a gofnodir o 1391 ymlaen gwelir bod yr un cytseiniaid yn mynd ar goll. Fodd bynnag, yma disodlwyd **Glasfre** yn gyfan gwbl gan **Mynydd Rhiwabon** a **Ruabon Mountain** yn ystod y ddeunawfed ganrif.

Nid yw'r gair **bre** 'bryn', ail elfen **Glasfre** bellach yn air byw yn y Gymraeg. Hyd y gwelaf, ni chafodd ei ddefnyddio fel enw cyffredin er yr unfed ganrif ar bymtheg. Y mae, fodd bynnag, yn hen air a ddaw o wreiddyn Celtaidd ac y mae cysylltiad clòs rhyngddo â'r gair Albanaidd **brae**. Mae'n digwydd mewn nifer o enwau lleoedd yng Nghymru megis **Pen-bre** yn Sir Gaerfyrddin, **Moelfre** yn Aberdaron, ym Môn, yn Llandyfaelog, Llangynog, Llansawel a nifer o ardaloedd eraill a **Buddugre**, Llanarmon-yn-Iâl, Llanddewi Ystradenni a Mynwy. Collwyd yr -**f**- o **Buddugre** hefyd. **Buddugfre** 'bryn buddugoliaeth' oedd ffurf wreiddiol yr enw.

Yn enw cartref Hugh Jones, felly, ceir cofnod cudd o hen air Cymraeg o dras Celtaidd a gollwyd o'n hiaith bob dydd; enghraifft arall o hen air yn aros ar gof a chadw mewn enw lle yn unig.

T.R.

Magor

Er bod gwedd anghyfiaith ar ffurf enw'r lle hwn yng Ngwent, ffurf ydyw ar y gair Cymraeg benywaidd **magwyr**, a fenthyciwyd o ffurf Ladin *maceria* 'wal, neu fur amgylchynol' a all weithiau, yn ôl rhai, gyfeirio at olion neu adfeilion.

Ansicr yw'r rheswm paham yr enwir y lle hwn felly. Dyma rai ffeithiau. Cofnodir ef yn 1222. Ceir un cyfeiriad amwys ato fel **Pen(y)fagwyr** mewn llawysgrif 1600-7. Gelwir y gwaundir isel a gwlyb rhwng y pentref a glannau Hafren yn **Whitewall Common**, ar ôl un o'r cloddiau a godid yno i atal llifogydd. Cofnodir **Whitewall** yn 1469. A ellir eu cysylltu? Ni allwn fod yn sicr ar hyn o bryd.

Digwydd **magwyr** mewn enwau yn lled gyffredin drwy'r wlad, yn arbennig Sir Benfro. Rhestrir dros bymtheg o enghreifftiau gan Dr B.G. Charles yn ei astudiaeth o enwau'r sir, a'r un sy'n taro'r hoelen ar ei phen ynglŷn â'r ystyr yw honno lle ceir y ffurf Saesneg **Redwalles** o 1293 ymlaen hyd 1575 pan ymddengys **Vagwrgoch**, sef **Fagwyr-goch** heddiw.

Ym Morgannwg hefyd ceir nifer o enwau lleoedd sy'n cynnwys yr elfen, ac yn eu plith **(Y) Fagwyr** ger Craigcefnparc a all gyfeirio at y wal a safai unwaith o amgylch y parc, **Vagwr Wen**, efallai, yn 1754. Ond fel yn yr enghraifft yna, **fagwr** yw'r ffurf lafar a geir yn y mwyafrif mawr o ffurfiau'r holl enwau hyn a gasglwyd, gyda'r ddeusain **wy** yn cael ei chwtogi i **-w-**.

Yn enwau Sir Benfro, fodd bynnag, y mae tystiolaeth i'r terfyniad ddatblygu'n wahanol weithiau, ac i **-wyr** fynd yn **-o(w)yr**, ac **-oer**. Ceir **Magoervaran** yn y drydedd ganrif ar ddeg am **Magwyr-frân**, a **Vagowyrgoch** 1555 am **Fagwyr-goch**, ond **Magor lloyd** 1576, 1653 am **Fagwyr-lwyd**, a **Magore Walter** 1551, 1565, **Vagor Walter** 1705, am yr enw coll **Fagwyr Walter**, yn union fel **Magor**, Gwent.

Dichon mai o gwtogiad llafar ar yr amrywiad hwn y daeth y terfyniad **-or**, ac nad oes angen ei briodoli i ddylanwad estron. Dylid cofio hefyd fod peth amrywio rhwng **wy** ac **oe** mewn Hen Gymraeg a Chymraeg Canol.

Mewn Cernyweg, **magoer** sy'n cyfateb i **magwyr** (ac yn sail i'r enwau **Maker** a **Magor** yng Nghernyw), ac mewn Hen Lydaweg y ffurf yw **macoer**.

G.O.P.

Y Mera

Codwyd tref Castell-nedd ar fan cyfleus i groesi afon Nedd, ond gwlyb a chorsiog iawn oedd y tir yr adeiladwyd hi arno ar lawr y dyffryn fel y mae'n agor tua'r aber yng nghyffiniau Llansawel.

Ategir hyn gan nifer o fân enwau lleol mewn hen arolygon tir, rhai wedi eu colli bellach, fel y **Western Moor**, **Castle Marsh** a'r **Latts** (parsel o dir lleidiog a all fod yn ffurf mewn Saesneg Canol ar air sy'n cael ei ynganu yn awr fel **lath**, gyda'r ystyr o 'lain o dir hirfain').

Tua phen draw **Water Street** (dyna un arall) lle mae'r **Victoria Gardens** presennol, yr oedd darn o dir diffaith lle codwyd nifer o dai gweithwyr yn yr ail ganrif ar bymtheg, gan gynnwys y **Miners' Row**. Hwnnw oedd **y Mera**.

Yr oedd 'gwŷr y Mera', cymysgedd ryfeddol a ddaeth i weithio i Syr Humphrey Mackworth a chwmnïau eraill yn y gymdogaeth, yn elfen gymdeithasol amlwg ym mhoblogaeth y dref. Felly hefyd eu gwragedd, yn ôl pob sôn. Merched y Mera oedd Amasoniaid Morgannwg, medd D.R. Phillips.

Yn gynharach, rhedai ffrwd gref trwy'r **Mera** i'r **Pwll Cam**, ac fe ymddengys hyn fel gweddillion pwll mwy, ond bâs, a dueddai i orchuddio'r tir oddi amgylch yn achlysurol.

Gan mai bwrdeistref Seisnig oedd Castell-nedd yn ei hanfod, y tebyg yw mai wrth y term Saesneg Canol **mere** 'pwll' y cyfeirid ato, a rhaid cofio y byddai'r **-e** ar ddiwedd y gair yn cael ei seinio fel sillaf dywyll. Hynny sy'n cyfrif am ei fabwysiadu gan y Cymry yn ddiweddarach yn y ffurf **mera**.

Mewn dogfen yn 1725, cyfeirir at lyn Llan-gors ym Mrycheiniog fel '*the great pool called Mara Llangors*'. Hyn sy'n esbonio galw eglwys Llan-gors yn *ecclesia de Mara* mor gynnar â'r ddeuddegfed ganrif, a'r llyn fel **la Mare** yn 1327.

Y tebyg yw mai ffurf ar y Saesneg **mere** wedi ei Ladineiddio yw'r **mara** hwn, a'i fod i'w gymharu â **mera**. Yn wir, yn 1793 cyfeiriwyd at y llyn fel '*a body of water . . . well known by the name of Welsh Pool or Brecon Meer*'.

Roedd yna **Banwaun y merra** yn Rhyndwyglydach hefyd, yn 1847.

G.O.P.

Nant y Cesair

Cafodd rhai afonydd a ffynhonnau eu henwau am fod eu dyfroedd yn glaer neu'n oer.

Trafododd R.J. Thomas liaws o enghreifftiau trwy Gymru gyfan. **Afon Twymyn** yn Sir Drefaldwyn sy'n glaear. **Y Nant Boeth** sy'n rhedeg i Afan, a mwy nag un **Ffynnon-dwym** mewn plwyfi eraill ym Morgannwg, heb enwi mwy.

Ar y llaw arall, y mae **Oernant** neu **Nant Oer** ac **Oerddwr** yn dra chyffredin, a cheir **Odnant** ar Newydd Fynyddog yn Sir Drefaldwyn eto, lle mae **ôd** 'eira' i'w gael fel elfen gyntaf, enw sy'n cyfateb i **Nant yr Eira**. Dichon mai **iâ** 'rhew' yw sail enw **Nant Iaen** yng Nghwm Rhondda. Ger Bethesda, Gwynedd, ceir **Afon Genllysg**, ac yn ymyl y Creigiau, ym mhlwyf Pen-tyrch, Morgannwg, ceir **Nant y Cesair**. Y mae **cenllysg** a **cesair**, wrth gwrs, yn gyfystyron.

Ond fe newidiodd **Nant y Cesair** ei gwedd mewn un man.

Ar ymyl y ffordd rhwng y Creigiau ac Efail Isaf y mae tŷ bwyta a thafarn adnabyddus ac fe red y nant dan y ffordd ac ymlaen heibio i dalcen yr adeilad.

Ar lafar, troes **cesair** yn yr ardal hon yn **cesar**. Ceir **Nant y Cessar** yn 1796, a **Nantycessar** yn nhrethiant Cymraeg y plwyf yn 1824. A dyna roi cyfle ardderchog i'r sawl a oedd yn chwilio am arwr i alw'r gwesty wrth ei enw. Gan mai **Cesar** yw'r Cymreigiad arferol o **Caesar** yn Lladin, nid oedd angen chwilio ymhellach.

Tystir i'r nant gael ei henwi yn **Caesar's River** unwaith. Dyna sut y cafodd y dafarn hithau ei henw, **Caesar's Arms**, ac y mae llun dychmygol Rhufeiniwr o radd uchel yn ei holl rwysg yn hongian y tu allan.

Boed i'r sawl sy'n edrych am olion Rhufeinig yng nghwmwd Meisgyn fod yn ofalus!

G.O.P.

Nantyffyllon

Mewn ambell enw rhoddir amcan o werth y tir a enwir trwy nodi'r swm o arian a delid unwaith fel rhent am y daliad. Yn Aberdâr cofnodir **Tir y Pumpunt** er o leiaf 1570; yn Abertawe, **Tir Deunaw** (**Tyre Doynawe, Tir y doynaw**, 1650); a pha ddirgelwch ariannol, tybed, a awgrymir gan **Tir-y-pwrs** (**Tir y purse** 1666) eto ym mhlwyf Aberdâr?

Enghraifft ddiddorol o ddefnyddio enw darn o arian, ac nid swm o arian, i bwrpas ychydig yn wahanol yw **Nantyffyllon**, ger Maesteg, Morgannwg, er mor anhebyg yr ymddengys hynny o edrych ar ffurf yr enw fel y mae heddiw.

Enw un o rag-nentydd afon Llynfi ydyw yn wreiddiol, ac y mae ffurfiau cynharach ei henw hi yn ddadlennol, sef **Nant firlling** 1570, **nant ffyrllinge** 1630, **(Blaen) Ffyrlling** 1633, **Nant Ffirlling, Nant Ffyrlling 1695-1709, Nant Fyrling** 1736, **nant furling** 1740.

Ffurf lafar **ffyrling, ffyrlin**, a fenthyciwyd o'r Saesneg Canol **ferling** (**farthing** mewn Saesneg Diweddar) yw **ffyrlling**, ond nid yw'n debyg iddi gael ei defnyddio yma i gyfleu unrhyw gysylltiad uniongyrchol â'r dernyn arian hwnnw. Yn hytrach, mewn ystyr ffigurol i gyfleu ansawdd rhywbeth 'bychan, disylw, pitw', gan mai ffyrling oedd y darn arian lleiaf ei werth — y 'ffyrling eithaf' honno a nodir yn hen fersiwn Efengyl Mathew. Dyna fesur maint a phwysigrwydd yr afonig hon i bobl Tir Iarll ers talwm.

Goroesodd ei henw, fodd bynnag, rhagor na nifer o rag-nentydd eraill afon Llynfi, oherwydd ei chysylltu yn ogystal ag ardal o dir gwyllt a choediog a adwaenid fel **Fforest Nant Ffirlloige** (sic) 1588 a.y.b., ac erbyn 1787 y mae'n amlwg fod daliad o dir wedi ei gau yn y cyffiniau, **Tir Nant Ffirlling**, a ddaeth yn **Nant y fferling Farm** erbyn 1846.

Gan fod tystiolaeth yr hen ffurfiau mor gadarn yn yr achos hwn rhaid derbyn mai o'r ffurf lafar **Nant (y) ffyrlling** y deilliodd y ffurf bresennol **Nantyffyllon**, trwy golli'r **-r-** yn y cyfuniad **-rll-**, a llafariad y sillaf olaf ddiacen yn mynd yn amwys.

G.O.P.

Nant Luke

Beth wnewch chi hefo Nant Luke, nant sy'n tarddu i'r de o Nant Meifod yn yr hen Sir Ddinbych, ac yna'n llifo trwy Nant Bach i mewn i afon Elwy yn agos i Ben-y-bryn?

Y mae **Luke** yn gyfenw yng Nghlwyd. Ai cysylltiadau crefyddol a roddodd enw fel **Luc** neu **Luke** i'r nant ac i deuluoedd? Wedi'r cyfan, heb fod yn rhy bell o Lanelwy mae Ffynnon Asa neu Asaph, ac afon Asa.

Ewch o'r Beibl i'r mapiau. Ar fap Ordnans 1840 nodwyd y nant fel **Lug**. Dyma ni'n syth i mewn i ddyfroedd mwy cyfarwydd. Dyma'r **llug** sy'n golygu 'disglair' neu 'tywyll'. Dyma'r **llug** sydd yn **llygad**, **amlwg** a **golwg**. Dyma'r **llug** sydd yn y pendraw yn perthyn i'r gair Lladin **lux** 'golau', i **light** yn Saesneg ac i **leukaemia** sef 'gwaed golau' mewn Groeg. Y mae'n digwydd sawl tro fel enw afon, gan amlaf yn golygu 'disglair', megis **Llugwy** neu **Lligwy**. Roedd **llug** yn air mor gyfarwydd ganrifoedd yn ôl fel y gallwch ei ddarganfod mewn siroedd sydd bellach yn Lloegr, megis yn enwau'r **River Lugg** yn Swydd Amwythig a **River Luke** a **Lugwardine** yn Swydd Henffordd.

Ond mewn gwirionedd, does dim angen edrych cyn belled â hynny am brawf mai **Llug** oedd enw'r nant, oherwydd, o godi'ch golygon, fe welwch **Llug Fynydd** a **Moel Rhiwlug**.

Sut yn union yr aeth **Llug** yn **Luke**? Yn ôl pob tebyg, fe aeth **Nant Llug** ar lafar yn **Nant Lug**, ac wrth i **llug** fynd yn gymharol ddiystyr mewn iaith bob dydd aeth **Nant Lug** yn **Nant Luc**, efallai gan wŷr y mapiau wrth gasglu tystiolaeth am enwau'r nentydd yr oeddent wedi olrhain eu hynt mor ofalus. Yn anffodus, **Nant-Luke** yw'r ffurf sy'n dal ar fap Ordnans 1996.

H.W.O.

Yr Olchfa

Digwydd y term hwn mewn enwau lleoedd, ac fel enw lle ar ei ben ei hun, yn y Gogledd a'r De, dau ohonynt yng nghyffiniau Abertawe.

Ger Sgeti, yn 1624, yr oedd **y tyr wrth ryd erolchva** (y tir wrth ryd yr olchfa), a'r nant yr oedd y rhyd yn ei chroesi yn cael ei chofnodi fel **a brook called the Olchva** yn 1744.

Yna, ym mhen uchaf Dyffryn Lliw, y ddwy fferm **Blaenyrolchfa Fawr** a **Blaenyrolchfa Fach**, sy'n mynd yn ôl i'r unfed ganrif ar bymtheg, onid cyn hynny (er bod y ffurf **Maen yr olchfa** mewn arolwg yn 1583 yn codi amheuon ynglŷn â'r elfen gyntaf).

Nid yw'r ffurf yn anodd i'w dehongli, yn wir y mae'n bur amlwg mai'r elfennau **golch-**, sef bôn y ferf **golchi** + y terfyniad cyffredin **-fa**, o **ma** 'man, lle' sydd yma, 'lle i olchi', ac y mae *Geiriadur Prifysgol Cymru* yn ychwanegu 'baddon' er mai prin y gellir edrych ar yr ystyr honno mewn termau modern yn y cyswllt hwn.

Yn hytrach, term yw **golchfa** sy'n adlewyrchu'r gyfundrefn amaethyddol ac yn cyfeirio at y defnydd traddodiadol a wneid o afonydd a nentydd i olchi defaid cyn dyfod y pyllau a adeiledir i'r pwrpas hwnnw erbyn hyn.

Wrth drafod yr enwau **Yr Olchfa**, **Llyn yr Olchfa**, a **Golchfa 'Ralltlwyd** yng Nghwm Abergeirw, Meirionnydd, rhydd y diweddar D. Machreth Ellis ddisgrifiad o'r hyn a ddigwyddai —

> . . . taflu dafad i lyn a gronnwyd ar afon neu nant . . . ac yna, wrth iddi droi i unioni yn y dŵr a nofio allan at ben bas yr olchfa, pwysau'r dŵr yn llacio'r cnu.

Eir ymlaen i ddweud y gallai nifer o ffermydd mewn ardal fanteisio ar yr olchfa a chydweithio i'w llunio mewn man cyfleus i gronni pwll neu lyn bychan trwy wneud argae o gerrig a thyweirch ar draws afon neu nant.

Er na welais i mo'r term **golchfa** ymhlith enwau plwyf Saint Andras ym Mro Morgannwg, dichon mai creu un oedd pwrpas yr hyn a roes enw i'r fferm **Argae** ar nant fechan ger eglwys y plwyf hwnnw.

G.O.P.

Pantymorfil

Ffermdy ym mhentref Talwrn ger Llangefni ym Môn yw **Pantymorfil**. Ar yr wyneb y mae'r enw yn un hynod. Dyma'r unig enghraifft o'r gair **morfil** '*whale*' a geir mewn enw lle drwy Gymru oll. Y mae'n wir fod lle o'r enw **Y Morfil** yn Sir Benfro ond daw hwn o'r enw Ffrangeg **Morville**.

Fel y disgwylid, ceir llu o chwedlau yn yr ardal ynglŷn â'r enw. Ceisiodd un hen frawd fy narbwyllo fod y ffermdy wedi cael ei enw am fod gŵr o'r enw **Jonah** wedi bod yn byw yno am flynyddoedd. Fodd bynnag, o graffu ar hen ffurfiau gwelir, ar unwaith, nad **morfil** yw elfen olaf yr enw.

Pantmorfil yw'r ffurf a geir ar y map Ordnans cyntaf a gyhoeddwyd yn 1838, ond ar fap stad Baron Hill a luniwyd yn 1776 ceir y ffurf **Pant yr Morfilod**. (Yr oedd **Pantymorfil** yn rhan o stad Baron Hill am ganrifoedd.) Yn llyfr rhent y stad ar gyfer 1755 ceir y ffurf **Pant morirod**. Ar gyfer 1741 ceir y ffurf **Pant morvidd**. O fynd yn ôl drwy'r llyfrau rhent ceir bod y ffurfiau **Pant morfudd ferch Iolo** a **Pont morfudd ferch Iolo** yn amrywio'n gyson. Yna, yn rhól rhent 1617 ceir y ffurf **kae pant morfydd verch Iollo**. Ni cheir ffurfiau cynharach ar yr enw.

Credaf felly mai **Pantmorfydd** yw cnewyllyn gwreiddiol yr enw hwn, ac mai'r enw personol benywaidd **Morfydd** yw'r elfen olaf, nid yr enw cyffredin morfil. Er i'r enw fynd drwy amrywiol droeadau yn ystod ail hanner y ddeunawfed ganrif gellir gweld yn bur blaen fod -**dd**- ac -**l**- wedi amrywio ac ymgyfnewid. Aeth **Morfydd** yn **morfil**, a chyn hir wedyn lluniwyd chwedlau fyrdd i esbonio'r gair **morfil**.

Digwydd yr enw personol **Morfydd** yn gyffredin mewn enwau lleoedd drwy Gymru oll — mewn enwau megis **Brynmorfydd**, Llanrwst; **Cefnmorfydd**, Aberdulais a **Maesmorfydd**, Llangristiolus. Gan fod yr enw personol **Morfydd** yn hen ond iddo aros gyda ni dros y canrifoedd y mae'n rhyfedd iddo fynd dros gof yn yr enw hwn.

Felly Morfydd ferch Iolo, pwy bynnag ydoedd, a roes ei henw i **Pantymorfil**, nid anghenfil o ddyfnderoedd y môr.

T.R.

Pebyll

Sylwodd cyfaill ar yr enw **Pebyll** ar ysgwydd Mynydd Blaengwynfi ym mhen pellaf Cwm Ogwr, gan ryfeddu y gallai'r fath bethau fod wedi cael eu lleoli mewn man mor anghysbell a diarffordd.

Ei gamgymeriad oedd credu mai ffurf luosog **pabell** oedd **pebyll** yn y cyswllt hwn.

Ffurf unigol oedd **pebyll** gynt. Daeth yn rheolaidd o'r ffurf Ladin unigol **papilio**, ac y mae **pebyllau**, **pebyllion**, a **pebylloedd** i'w cael fel ffurfiau lluosog yn y Gymraeg. Adffurfiad diweddarach trwy gydweddiad â geiriau sy'n ffurfiau lluosog mewn **-e-y-**, ond sydd â'u ffurfiau unigol mewn **-a-e-** fel **astell/estyll**, **cragen/cregyn** yw'r ffurf unigol bresennol **pabell**.

Ar Fynydd Blaengwynfi, enw ar **un** cylch o gerrig, hen feddrod o'r Oes Efydd, yw **Pebyll**, ond bod yr olion yn awgrymu presenoldeb rhyw fath o adeilad neu loches mewn oes a fu. Gellir cymharu'r defnydd cyffelyb a wnaed mewn mannau o'r gair **gwersyll**.

Digon posibl mai **Y Pebyll**, gyda'r fannod i'w gwneud yn benodol, oedd y ffurf wreiddiol. Hynny a geir yn **Ogof y Pebyll**, ger Llangrallo, ond tyddyn ym mhlwyf Llantrisant oedd **Pebyll-y-brig**.

Y mae'n amlwg hefyd y gallai **pebyll** fod yn fenywaidd, fel yn **Penlle'rbebyll** ar Fynydd Pysgodlyn, ger Pontarddulais, ac yn enw'r tŷ cyfrifol, pentref a phlwyf **Cilybebyll** lle mae arwyddocâd **pebyll** yn ansicr.

Fe ymddengys fod ystyr **pebyll** wedi datblygu rhyw gymaint o fod yn ddim mwy sefydlog na lloches neu drigfan dros dro i olygu 'bwthyn' neu 'dyddyn'.

Deilliodd un ysgolhaig o'r Alban yr enw **Peebles**, drwy'r Saesneg, o'r Gymraeg **pebyll** yn hytrach nag o wreiddyn Gaeleg, a bod y term yn cyfateb o ran ystyr i'r gair Saesneg **shiel** (**shieling**), Saesneg Canol **schele** 'hofel, cwt, tyddyn; lluest'.

G.O.P.

Pencader

Benthycair yw'r gair Cymraeg **cadair** o'r Lladin *cathedra* 'cadair, gorsedd, gorsedd esgob'. Y mae i'r gair lawer ystyr ar wahân i *'chair'*, yn enwedig ar lafar drwy Gymru. Gall y gair Cymraeg olygu 'crud neu gawell', 'clwstwr o ganghennau'n ymestyn o un boncyff', 'pwrs neu biw buwch neu ddafad', 'math o grib ar bladur' ('crud y bladur' ym Môn), 'eisteddle pencerdd' a 'mesur ar farddoniaeth'.

Fe ddigwydd y gair **cadair** hefyd mewn enwau lleoedd yn bur aml a bu llawer o ddadlau ynghylch ei dras a'i ystyr arbennig mewn enwau lleoedd. Flynyddoedd lawer yn ôl credai ysgolheigion Celtaidd fod yna hen air cynhenid Cymraeg **cadeir**, yn perthyn yn agos i'r gair Gwyddeleg **cathair**, a olygai 'gaer neu amddiffynfa ar fryn'. Bellach newidiodd y farn. Erbyn heddiw credir bod ystyr **cadair**, y benthycair o **cathedra**, wedi lledu i olygu 'caer, amddiffynfa; craig neu fryn ar ffurf cadair'. Dyma farn Syr Ifor Williams, ac yn ei gyfrol *Enwau Lleoedd* y mae'n nodi fod ystyron **gorsedd** ac **eisteddfa** wedi lledu yn yr un modd. Gall y geiriau hyn hefyd olygu 'tomen bridd', 'bryn ar ffurf cadair' mewn enwau lleoedd.

'Caer, amddiffynfa; bryn ar ffurf cadair', felly, yw ystyr **cadair** mewn llu o enwau megis **Cadair Benllyn**, **Cadair Ferwyn** a **Cadair Idris**. Ambell dro mewn enw megis **Cadair Gawrdaf**, Aber-erch gall **cadair** gyfeirio at graig wedi ei cherfio ar ffurf **cadair**.

Yn sicr 'caer neu fryn ar ffurf cadair' yw ystyr yr ail elfen yn yr enw **Pencader**, enw hen gapel a phentref ym mhlwyf Llanfihangel-ar-arth yn Sir Gaerfyrddin. Cofnodir yr enw gyntaf gan Gerallt Gymro yn 1191 ac fe geir y cyfieithiad Lladin *cathedrae caput* 'pen y gadair' ganddo ar gyfer yr enw. Ceir cyfeiriad at gapel Pencader mewn rhestr o eiddo eglwysig a luniwyd yn 1552, ac y mae'r enw yn digwydd yn bur aml ar ôl hynny. Y mae'n bosibl fod yr enw yn cyfeirio at un o'r bryniau o amgylch y pentref ond fe awgrymwyd fod yr enw yn cyfeirio at gastell Pencader, castell ar domen o bridd a godwyd, yn ôl pob tebyg, gan Gilbert de Clare, Iarll Caerloyw yn 1145. Byddai hyn yn gweddu i'r dim ond byddai felly yn enw newydd iawn yn nyddiau Gerallt Gymro ac yn dangos fod **cadair** yn yr ystyr 'caer' yn dal yn fyw yn ail hanner y ddeuddegfed ganrif.

T.R.

Pendyrys

Gan nad oes lle bellach yng Nghwm Rhondda Fach sy'n dwyn yr enw hwn, nid afresymol oedd i gyfaill sy'n aelod o'r côr meibion enwog sy'n arddel yr enw ofyn paham mai felly y mae hi?

I gael yr ateb, rhaid codi'r golygon i uchelfannau llethrau serth Cefn Gwyngul ar ochr ddwyreiniol y cwm, tir sydd mewn gwirionedd ym mhlwyf Llanwynno y mae'r ffordd o Flaenllechau yn esgyn yn raddol drosto ac yn arwain at hen eglwys y plwyf hwnnw.

Yno, gynt, yr oedd daliad o dir o'r enw **Pendyrys**. Y mae'r enw yn gyfansawdd o'r gair cyffredin **pen**, a all weithiau gyfeirio (ac efallai felly yma) at gefnen o dir, neu drwyn, craig weithiau, sy'n ymestyn allan, gyda'r ansoddair **dyrys** sy'n digwydd mewn nifer o enwau i gyfeirio at dir gwyllt a garw na ellir ei drin yn rhwydd.

Erbyn 1778 yr oedd y daliad wedi ei rannu'n ddau, **Pendyrys Isaf**, y mae olion o'i hen furiau i'w gweld o hyd ar ymyl y ffordd i Lanwynno, yn lled agos i ffermdy presennol Blaenllechau, a **Pendyrys Uchaf** sydd, hyd y gwn, wedi llwyr ddiflannu.

Fodd bynnag, fe ymddengys fod tir **Pendyrys** (unai'r uned wreiddiol, neu'r **isaf** o'r hanerau) yn ymestyn i lawr i gynnwys y llethrau sydd y tu cefn i'r **Tylorstown** presennol, a'r hyn a ddigwyddodd yn sgîl y gwanc am lo yn y ganrif ddiwethaf oedd i Alfred Tylor o Newgate, Llundain, brynu'r hawl i'r mwyn a oedd i'w gael ar dir Pendyrys yn 1872. Cloddiodd yn hynod lwyddiannus yn y lofa a sefydlodd yno, ac yr oedd yn cynhyrchu bron i chwarter miliwn o dunelli o lo yn y flwyddyn 1893 pan werthwyd y lofa i berchenogion eraill.

Ei henw oedd **Glofa Pendyrys**, fel y gellid disgwyl, ond yr hyn sy'n amlwg yw fod y gymuned a grewyd gan y lofa wedi cael ei galw ar ôl Alfred Tylor, sef **Tylorstown** er i gôr y gymuned gadw'r hen enw.

Credai Glanffrwd mai **Pont-y-gwaith** oedd hen enw **Tylorstown**, ond yr oedd **Pendyrys** yno ymhell cyn i unrhyw 'waith' ddod i'r ardal i roi rheswm dros fodolaeth yr enw hwnnw.

Gwahanol oedd hanes y gymuned a dyfodd o amgylch glofa **Blaenllechau** a suddwyd ar dir fferm Blaenllechau (sy'n dal i sefyll) yn uwch i fyny'r cwm. Cadwodd honno ei phriod enw er i'r **Glyn Rhedynog** gerllaw gael ei Seisnigo yn **Ferndale**.

G.O.P.

Penrhiw-ceibr

Dro'n ôl dyfynnais yr enw **Penrhiw-ceibr** fel un o'r rhai lle ceir **rhiw**, neu **pen + rhiw** gydag enw planhigyn neu goeden y ceid digon ohonynt yn tyfu yn y fan a'r lle (t.85). **Penrhiw'rceibr** yw'r ffurf wreiddiol, i fod yn fanwl gywir, ond y mae'r fannod o flaen yr elfen olaf wedi ei hepgor ar lafar ers tro byd.

Yn ei ysgrifau ar hanes plwyf Llanwynno (1878-88) eglurhad Glanffrwd ar **ceibr** oedd ei fod yn cyfeirio at ganghennau trwchus y coed y byddai'n rhaid torri ffordd trwyddynt i hwyluso trafnidiaeth gynt i fyny llethrau Glyn Cynon at yr hen ffermdy ar y brig (lle mae pentref presennol y Berthgelyn), nes eu bod yn edrych fel nenbrenni yn pontio dros y llwybr.

Yn wir, ym mhapurau degwm y plwyf, 1841, ceir **Pantynenbren** fel enw cyfagos.

Nid oedd Glanffrwd ymhell ohoni, gan i'r gair **ceibr** ddod i'r Gymraeg yn anuniongyrchol trwy ffurf Ladin sy'n sail i'r Ffrangeg **chevron** 'trawst sy'n cynnal to', y mae ei wraidd yn gysylltiedig â ffurfiau o ystyr gyffelyb yn yr ieithoedd Celtaidd, gan gynnwys Gaeleg **cabar**, yn ôl pob golwg, **caber** erbyn hyn, sy'n digwydd yn enw un o gampau ucheldir yr Alban, 'tossing the **caber**', sef taflu polyn mawr, neu drawst.

Dim ond newid pwyslais yn yr ystyr a roddwyd gan Glanffrwd a wna Geiriadur y Brifysgol wrth nodi fod **Penrhiw-ceibr** wedi ei enwi felly 'am fod coed addas i lunio ceibrau yno'.

Ym mhlwyf Pendeulwyn, yn y Fro, ceir **Coed Ffos-ceibr**, a thrwy'r coed rhed **Nant Tynyplancau**. Tybed nad oes gysylltiad awgrymog yn y fan yna?

Nid yw'n enw hynafol iawn. **Rhiw'r Kibier** 1748 yw'r ffurf gynharaf a welais i, ond y mae honno yn dangos y duedd gyson ar lafar i lafariad ymwthiol ymddangos rhwng y -**b**- a'r -**r**- yn y sillaf olaf, gan roi amrywiaeth o ffurfiau dros y blynyddoedd, -**cibir**, -**ciber**, -**ceiber**, -**ceibir**.

Hyn a roes fodolaeth, mae'n siŵr, i'r ffurf Seisnigaidd erchyll honno a ddefnyddiwyd yn enw glofa leol, **Penrikyber**, sy'n awgrymu cysylltiad â chyfandir arall!

G.O.P.

Penrhiwtyn

Penrwtin yw'r ynganiad lleol ar yr enw hwn ger Cwrt Sart yn ymyl Ynysymaerdy, rhwng Llansawel a Chastell-nedd, ac y mae'r mwyafrif o nifer sylweddol o ffurfiau o'r enw a gasglwyd yn ategu hynny, **Penrwting** 1590, 1630, **Penrwtting** 1628, **Penrutting** 1631, **Penrooting** 1687, **Penruttin** 1729 a.y.b. Bu cryn ddyfalu ynghylch yr ystyr, er hynny.

Un o'r ffurfiau cynharaf sydd ar gael yw **Penrowting(e)** 1586, 1631, **Penrouting** 1611, ac ar sail hynny mae'n rhaid credu mai gyda'i dafod yn dynn yn ei foch y cynigiodd un ysgolhaig unwaith mai'r gair Saesneg **outing** oedd ail elfen yr enw, am fod y llecyn, ar godiad tir coediog ar lan afon Nedd, yn fan hyfryd a hwylus i drigolion Castell-nedd ddod allan am dro iddo, am **outing**!

Go brin. Ond bellach y mae gennym y fantais o fod wedi gweld un ffurf gynharach ar yr enw, sef **Pen-ryw-wtting** mewn ewyllys yn 1558.

Tybed nad yw'r enw yn cydymffurfio â phatrwm enwau fel **Rhiw'rperrai**, **Rhiwonnen**, **Penrhiw'rceibr** a **Phenrhiw'rgwiail**? Hynny yw, **pen + rhiw +** enw planhigyn neu goeden y ceir digon ohono'n tyfu yn y fan a'r lle.

O wybod am y calediad llafar cyffredin hwnnw yn y De lle mae -d- rhwng llafariaid yn troi'n -t-, fel y digwydd gyda **wedi/weti**, **odw/otw**, **(dy)wedws/'wetws** a.y.b., gellid cael ffurf luosog **gwden** 'helygen, gwiail', sef **gwdyn**, yn caledu'n **gwtin** ar lafar fel elfen olaf **Pen-rhiw-wtin**. Byddai'n gymar i **Penrhiw'rgwiail**, ger Cynwyl Elfed.

Ceir enw ochr mynydd yn Ardudwy, **Rhiw-wden**, mewn siartr i Abaty Cymer yn 1209, a chyfeiria un o ohebwyr Edward Lhuyd hefyd at **Bwlch rhiw wden** 1695-1709, ym mhlwyf Llanuwchllyn, Meirionnydd.

Ni ddylid anghofio ychwaith fod **gwden**, **gwdyn** yn digwydd mewn hen lyfr llysiau fel enw'r planhigyn hwnnw sy'n gwau trwy a thros ganghennau coed eraill, **gwden y coed**, sef *bindweed* neu *old man's beard* yn Saesneg.

Mewn ardal goediog, bur wahanol i'r hyn ydyw heddiw, y mae hyn yn bosiblrwydd arall i'w ystyried, gan i un naturiaethwr o Sais yn y ganrif ddiwethaf sylwi ar goed trwchus Glyn Nedd ag ynddynt '*creepers hanging down in festoons*'.

G.O.P.

Pentrebane

Un o'r pethau hynny a briodolir yn aml i ddylanwad y Saesneg yw ffurfiau fel **Aberdare** am **Aberdâr**, **Heol-lace** am **Heol-las**, **Nant Brane** a **Trevrane** am **Nant Brân** a **Tre'rfrân** a'u tebyg.

Yr unig beth sy'n anghymreig ynglŷn â'r ffurfiau hyn, fodd bynnag, yw'r modd y maent bellach yn cael ei sillafu.

Y mae'r sain y ceisir ei chynrychioli yn y sillaf olaf yn drwyadl Gymreig. Yn wir, hwy yw'r ychydig olion sy'n weddill o'r modd y seinid y ffurfiau hyn yn nhafodiaith y Wenhwyseg, nad oes fawr neb bellach yn ei siarad.

Un o nodweddion y dafodiaith honno oedd seinio -a- hir yn 'fain', nes ei bod yn ymdebygu (heb fod yn hollol felly) i sain -e- hir (rhywbeth yn debyg i'r modd y gwneir hynny gan bobl Sir Feirionnydd).

O glywed sillaf olaf **Aberdâr** yn cael ei seinio felly, yr unig ffordd y gallai ysgrifwr di-Gymraeg gyfleu'r ynganiad hwnnw mewn orgraff Seisnig oedd trwy'r ffurf -dare (fel pe bai'n odli â **care**, **mare**) a chynhyrchu'r ffurf **Aberdare**. Felly -lace am -las, a **brane** am **brân**.

Weithiau, deuai -a- hir yn y dafodiaith o sain lafar y ddeusain **ae** : **maen** > **mân**, **cae** > **cā** a.y.b., a digwyddodd yr un peth iddi hithau. Hyn sy'n cyfrif am y ffurf **Lisvane** am **Llys-faen** o'r ffurf lafar **Llys-fān**.

Y mae **Pentrebane** yn cael ei ddefnyddio fel enw un o faestrefi Caerdydd bellach, ond enw ffermdy sylweddol ar gefnen o dir heb fod nepell o'r ardal, ym mhlwyf Sain Ffagan, ydyw yn wreiddiol. Y mae hynny'n egluro paham mai **Cefn-tre-baen** oedd ei enw c.1485-1515, **Kentrebaine** 1536-9, **Keven Trebayne** 1570, er bod **Pentrebaen** i'w gael mor gynnar ag 1564. **Pentrepayne** 1567, a **Pentrebane** o tua chanol y ddeunawfed ganrif ymlaen.

Yma eto, sain fain y llafariad yn y sillaf olaf a gynrychiolir yn y ffurf — **bane**, a honno'n deillio o'r ddeusain **ae** yn y ffurf **Paen** ar yr enw personol Normanaidd **Payn(e)**, **Pain(e)**.

G.O.P.

Pont Llewitha

Saif y bont ar gyrion gogleddol Abertawe heb fod ymhell o Fynydd-bach-y-glo, ac y mae'n cario'r ffordd A4070 i Gasllwchwr dros afon Llan, afon a enwyd yn rhinwedd ei chwrs troellog trwy blwyf Llangyfelach, yn ôl pob tebyg.

Yn amlach na pheidio, y mae enwau afonydd ymhlith yr enwau hynaf sydd mewn bod, ond hyd yma cymharol ddiweddar, 1799, yw'r cofnod cynharaf a welais i o **Llan** fel enw'r afon hon, ac y mae **Pont-llan** yn digwydd fel enw mewn rhan arall o'r plwyf.

Ar ei thrywydd ymlaen tua'r môr y mae'n ymuno ag afon **Lliw**, sy'n rhedeg i lawr o'r gogledd o gyfeiriad Pont-lliw, ger Mynydd Stafford, a dyfroedd unedig y ddwy afon sy'n llifo i'r aber ger Casllwchwr.

Yn wir, y mae'n ymddangos yr edrychid ar y ddwy afon unwaith fel canghennau un afon.

Yn 1306 cyfeirir at afon Lliw fel **Northyr Lyu** 'y Lliw ogleddol', a chan Rhys Amheurig yn 1578 fel **Llugh ye greater**. Y mae hyn yn awgrymu'n gryf bod yna afon Lliw arall, a'r hyn y mae cymhariaeth o'r dogfennau sydd ar gael yn ei ddangos yw mai'r afon Llan bresennol oedd y Lliw arall honno. Cyfeirir ati fel **Lyu** yn syml mewn breinlen yn 1153-84, a chan Rhys Amheurig eto fel **Llugh ye lesser**.

Amlwg hefyd yw bod dulliau eraill o wahaniaethu rhwng y ddwy afon yn cael eu harfer dros y blynyddoedd. Yn 1697 ceir cyfeiriad at **Luw ycha** a **Luw issa**, ond erbyn 1764 ceir cyfeiriad at afon **Lliw** dan yr enw hwnnw yn unig heb ansoddair ynghlwm wrtho, tra aeth yr afon **Llan** bresennol yn **Llyw Ytha**.

Yn wir, enwir hi felly yn 1600, sef y **Lliw eithaf**, neu'r 'bellaf'. Pont dros y **Lliw eithaf**, felly, yw **Pont Llewitha**, neu **Llewitha Bridge** y mapiau.

G.O.P.

Pontymister

Credir weithiau mai'r gair **meistr** yw ail elfen yr enw hwn ar lan afon Ebwy, yng Ngwent, neu **mishtir** ar lafar, gan briodoli iddo gysylltiad â 'meistr gwaith' yn yr ardal drefol a alwyd yr un enw. Cymar, fel petai, i **Pont-y-gwaith** yng Nghwm Rhondda Fach.

Ni thâl hynny, fodd bynnag, gan mai ar ôl enw ffermdy yn y cyffiniau y galwyd hen bont dros yr afon, ac y mae hwnnw i'w gael fel **Maestyr** 1600, **Maister** 1638-1723, **Maes Tire** 1668 a.y.b., ac wedi datblygu yn **mister** yn ddiweddarach ar lafar gwlad.

Ni chodwyd y gwaith haearn cyfagos, ychwaith, tan ddechrau'r ganrif ddiwethaf.

Ai'r gair cyffredin **maestir** 'tir agored, gwastadedd' sydd i'w gael fel enw nifer o ffermydd hwnt ac yma yw hwn? Byddai hynny'n esboniad pur dderbyniol oni bai am ddau beth.

Yn gyntaf, **Pont y maustre** 1603-25 yw'r ffurf gynharaf ar yr enw sydd gennym, ac yn ail, y mae cofnod ar gael sy'n dyddio o 1204, yn nodi bodolaeth melin yn yr ardal a oedd yn rhan o un o ffermdai allanol (**grange** yn Saesneg) abaty Llantarnman, o'r enw **Maister Kanvawr**, a dalfyrrir yn **Mayst'** mewn dogfen bwysig arall yn 1254.

Hefyd, fe saif ffermdy **Pontymister** mewn ardal ag iddi gysylltiadau eglwysig cynnar. Yn wir, y mae rhai dogfennau yn ei gysylltu â thir hen ddaliad o'r enw **Mynachdy** ym mhlwyf **Basaleg**.

Ai dyma'r allwedd, tybed, i ystyr elfen olaf yr enw? Ni ellir bod yn bendant, ond pe bai modd cysoni'r ffurf **Pont y maustre** 1603-25 â bodolaeth hen ffurfiau eraill tebyg iddi (na ddaethant i'r golwg hyd yma), deuai hynny â'r hen air Cymraeg **mystwyr** 'mynachlog' i ystyriaeth.

Daw hwn yn rheolaidd o'r Lladin **monastērium** (trwy'r ffurf **mon'stērium** mewn Lladin Diweddar), a roes **monastery** yn Saesneg, ac a ymddengys fel **mainister** yn Iwerddon, **moustier** a **moutier** yn Ffrainc, a **moustoer** yn Llydaw. Mewn rhai enwau lleoedd yng Nghymru fe ymddengys yn y ffurfiau **muster**, **meister**, **meistyr** a **maestire** ar brydiau, ond yn arbennig yn y ffurf lafar **mwstwr**, fel yn enw trefgordd ym mhlwyf Corwen ac, efallai, **Coedymwstwr** ger Pont-y-bont ar Ogwr.

Ai olion ansicr sydd yma o hen gymuned eglwysig gyn-Normanaidd y dywedir yn un o fucheddau'r seintiau iddi gael ei sefydlu gan wraig Gwynllyw, Gwladus, a ddaeth i fyw ar lan Ebwy, ac adeiladu 'yr hyn a oedd yn angenrheidiol i Dduw ac i ddynion yno'? Gresyn na allem fod yn fwy pendant ein barn.

G.O.P.

Pont y Rhidyll

Elfen bur annisgwyl i'w chael mewn enw gyda **pont** yw'r hyn sy'n ymddangos fel **rhidyll** 'gogor, hidl', sef *sieve* neu *riddle* yn Saesneg, ond fel y mae'n digwydd, un o'r cyfystyron Saesneg yna yw'r allwedd i ystyr yr enw anghyffredin hwn.

Pont oedd hon (ac y mae'n dal mewn bodolaeth, wedi ei hatgyfnerthu i ddwyn pwysau trafnidiaeth fodern) a gludai'r hen ffordd dyrpeg o Ddinas Powys i Dregatwg, ger y Barri, dros nant fechan ar gyrion Morfa Dinas Powys.

Mewn dogfen Ladin, 1566, nodir y bont fel **Pontem vocatur Ryddelle**, ac o ystyried y nifer sylweddol o fân enwau sy'n digwydd mewn papurau stadau o'r cyfnod hwnnw mae'n amlwg fod yr elfen sy'n ymddangos yn y ffurfiau amrywiol **Ridell**, **Riddill**, **Redell**, **Rydhill** a **Riddle** yn digwydd mewn cysylltiad â ffynnon, caeau a hen ffermdy, yn ogystal â'r bont.

Gellir bod yn lled sicr, yng nghyswllt y fferm beth bynnag, sef **The Riddle Farm** 1783-6 — mai cyfenw'r perchennog, y cyntaf efallai, yw **Riddle**, a thystiolaeth y dogfennau yw mai oherwydd eu cysylltiad â'r fferm yr enwyd y ffynnon a'r caeau a'r tir oddi amgylch. Felly'r bont.

Ond ganrifoedd yn ddiweddarach, pan nad oedd gan neb y syniad lleiaf am wir arwyddocâd **Riddle** neu **Riddell** a.y.b., a phan ddaeth chwant Cymreigio'r enw ar rywun, yr hyn a wnaed oedd cyfieithu'r gair cyffredin Saesneg **riddle** 'rhidyll' i'r Gymraeg yn llythrennol a chynhyrchu **Pont y Rhidyll**, ni waeth pa mor anghymwys yr enw yn y wedd honno.

Gyda llaw, i bwysleisio'r pwynt a wnaed yn y nodyn ar **Drope** (t.44) parthed dylanwad ymfudwyr o Dde-Orllewin Lloegr ar Fro Morgannwg, purion peth fyddai nodi bod **Riddle** hefyd yn gyfenw pur eang ei gylchrediad yng Ngwlad yr Haf.

G.O.P.

Prysgol

Enw ar hen blasty ym mhlwyf Llanrug, Arfon yw **Prysgol** heddiw. Cofir y plasty yn bennaf am iddo fod yn gartref i'r cerddor William Owen, Prysgol (1813-1893), awdur yr emyn-dôn *Bryn Calfaria*.

Fodd bynnag, enw ar drefgordd oedd **Prysgol** yn yr Oesoedd Canol a rhaid iddo gael ei gyfrif yn rhan o blwyf Llanfair-is-gaer gerllaw, gan mai **Llanfair Prysgol** oedd y ffurf arferol ar yr enw yn y cyfnod hwnnw. Dengys ffurfiau cynnar yr enw fod ffurf yr elfen olaf wedi newid llawer. Yn 1352 cofnodir y ffurf **Lanveyr Priscoil** ac yn 1447 ceir y ffurf **pryscoel**. Yna yn 1583 cofnodir y ffurf **Y Priscol**. Ni bu llawer iawn o newid ar y ffurf wedi hynny.

O'r ffurfiau gwelir yn bur amlwg mai **prys**, **prysg** 'llwyn o goed, byrgoed' yw'r elfen gyntaf. Digwydd yr elfen hon yn gyffredin iawn mewn enwau lleoedd ledled Cymru — enwau megis **Prysan**, **Prysau**, **Presaddfed**, **Prysllygod** a **Prysor**.

Y mae'n debyg mai'r enw personol **Coel** yw'r ail elfen. Aeth yr -oe- yn yr enw yn -o- erbyn ail hanner yr unfed ganrif ar bymtheg. Cred rhai y daw **Coel** o'r enw Lladin **Caelius** a gallai olygu 'dewin'. Fe ddigwydd yn enw ar gymeriadau chwedlonol neu led chwedlonol megis y brenin **Coel**, **Coel ap Cunedda** a **Coel ap Meurig** ond fe ddigwydd hefyd yn enw ar wŷr hanesyddol megis **Coel ap Cadell** a **Coel ap Gweirydd**.

Fe ddigwydd yr enw personol **Coel** mewn rhai enwau lleoedd eraill yng Nghymru — enwau megis **Cwm Coel** a **Cilfach Goel**, Cwmteuddwr, Maesyfed.

Yn sicr fe ddigwydd yn yr enw **Nantcol**, Llanbedr/Llanenddwyn, Meirionnydd. Cyfeirir at yr enw hwn gan Gruffudd ab yr Ynad Coch yn ei farwnad enwog i Lywelyn ap Gruffudd a gyfansoddwyd yn 1283:

> O laith Prydain faith, Gynllaith ganllaw
> O ladd llew Nancoel, llurig Nancaw.

T.R.

Radur

Ar brynhawn heulog o haf, y degfed o fis Mehefin 1944, ychydig ddyddiau wedi'r glanio yn Normandi a goffawyd yn ddiweddar, daeth uned o filwyr yr Almaen â'u tanciau i mewn i bentref gwledig Oradour sur Glane, ger Limoges yn neau-orllewin Ffrainc. Yno, fe saethwyd ac fe losgwyd i farwolaeth 642 o'r trigolion, yn wŷr, gwragedd a phlant, a difrodwyd pob adeilad yn y lle.

Byth er hynny, enw sy'n atseinio'n erchyll yn y cof, fel Lidice neu Lezaky, yw Oradour. Saif adfeilion y pentref drylliedig gerllaw y pentref newydd hyd heddiw, yn union fel y'u gadawyd gan yr Almaenwyr. Profiad i oeri'r gwaed yw ymweld â'r lle.

Bellach, gwyddom mai ffurf gynnar wedi ei 'ffosileiddio' yn ei datblygiad o'r Lladin **oratorium** 'tŷ gweddi, capel' yw'r enw **Oradour**. Digwydd yn aml hefyd yn Ffrainc mewn ffurfiau a ddatblygodd yn ddiweddarach o'r benthyciad Ffrengig **oratoire** (cymharer y Saesneg **oratory**) fel **Ourouer**, **Ouvrouer**, **Ouzouer** a.y.b.

Hefyd, gellir deillio ffurf yr enw **Radur** (nid **Radyr**) ger Caerdydd, a ger Bryn Buga yng Ngwent (**the chapel of Radour** 1556-8), o'r Lladin **oratorium**, er gwaethaf y sawl a fu'n gyfrifol am osod delw o **aradr** ar fur yr Ysgol Uwchradd yno fel esboniad ar yr enw.

Yn *Llyfr Llandaf*, **Aradur** yw'r ffurf, a honno yw'r ffurf a ddeilliodd o ffurf Ladin ddiweddar **ŏratorium**, gyda'r llafariad gyntaf yn fer (fel y cafwyd **achos** o *ŏccasio*, neu **achub** o *ŏccupo*). Fe'i ceir ar glawr hyd yr unfed ganrif ar bymtheg, **Aradur** 1506, **Aradyr** 1533, **Aradier** 1554 a.y.b.

Gan fod y sillaf gyntaf yn ddiacen yn **arádur**, a chyn iddi gael ei cholli ar lafar, tybiodd rhai mai'r fannod oedd y sillaf honno, **Yradur** c.1569, **Y Rader** 1587, **Yr Radyr** 1592, **Yr Adyre** yn yr ail ganrif ar bymtheg a.y.b. a dilynwyd hyn gan y Saeson, **the Radyr** 1554, **the Rader**1583, **ye Radour** 1675, a **the Rader** ar fapiau Saxton 1578, a John Speed 1610.

Mor wahanol fu tynged **Radur** ac **Oradour**.

Y mae'n arferiad i gysylltu neu 'efeillio' dinasoedd a phentrefi â lleoedd ar y cyfandir y dyddiau hyn. Sylwaf nad ag Oradour sur Glane y cysylltir Radur, ond y mae lle i ystyried y posibilrwydd yn ddwys.

G.O.P.

Radyr Chain

Dyma'r ffurf arferol ar yr enw hwn ar fan rhwng Llandaf a Radur ger croesffordd ar yr A4119 o Gaerdydd i Lantrisant, er mai **Radur** yw sillafiad cywir enw'r pentref adnabyddus.

Ni chollwyd y cyfle gan werthwyr tai i addurno eu hysbysebiadau yn y gymdogaeth â'r sillafiad crand **Radyr Cheyne**, mewn ymdrech i dadogi rhyw fath o urddas Seisnigaidd ar yr ardal, gan fod y ffurf **cheyne** (yn gywirach, **chine**) yn elfen mewn enwau ffasiynol ar arfordir deheuol Lloegr, mewn lleoedd fel Bournemouth a'u tebyg.

Wrth gwrs, y mae **chine** yn golygu rhywbeth yn y fan honno. Daw o'r Hen Saesneg **cinu** 'cwm cyfyng, glyn', ond nid hwnnw sydd yma.

Yn hytrach, yr hyn a geir yma yw'r gair Saesneg cyffredin **chain** 'cadwyn, tsiaen', a chyfeirio y mae'r enw at gadwyn a osodwyd ar draws ceg y ffordd gul a arweiniai i lawr o'r groesffordd heibio i eglwys fechan Radur, a'r Cwrt, tuag afon Taf, a throsti i hen Iard Lo Llandaf (yn fras, oddeutu ble y saif yr Ysgol Gyfun Gymraeg heddiw).

Ffordd dyrpeg oedd y briffordd rhwng Llandaf a Llantrisant, ac yn y ganrif ddiwethaf byddai'r cwmnïau a redai'r ffyrdd hynny yn gosod rhwystr ar draws unrhyw fân ffordd a arweiniai oddi ar y briffordd os y byddai honno yn debyg o gael ei defnyddio'n fynych.

Ar ôl helynt Rebecca ar ddechrau'r ganrif ddiwethaf, pan oedd dryllio tollbyrth ar y ffyrdd tyrpeg yn un o brif weithgareddau'r 'merched', cyhoeddwyd adroddiad Comisiwn a geisiodd bwyso a mesur achosion yr helynt, yn 1844. Dyma ateb un tyst a holwyd ynglŷn â phwrpas y gadwyn ger Radur —

> It is the Radyr Chain: it is to prevent people going towards Llandaf coal-yard principally, turning off from the turn-pike road into the parish road without paying.

Prin y gellid gosod y peth yn fwy cryno. Yr oedd y gadwyn yn ddigon adnabyddus i fod yn gyfrifol am roi enw i'r groesffordd ar fap cyntaf modfedd-i'r-filltir Swyddfa'r Ordnans, yn 1833.

G.O.P.

Rasau

Rhoir gwedd anghymreig i'r enw hwn ar fan amlwg ac ystad ddiwydiannol rhwng Merthyr Tudful a'r Bryn-mawr oherwydd y duedd, dan yr acen a than ddylanwad y Saesneg, i ddyblu cytseiniaid nas dyblir yn y Gymraeg.

Yn union fel y ceir **Bettws** am **Betws** neu **Llandyssul** am **Llandysul**, felly hefyd **Rassau** yn y cyswllt hwn, yn gwbl ddianghenraid.

Y gwir amdani yw mai ffurf luosog gyffredin, gyda'r terfyniad **-au**, yw **Rasau**. Yr unigol yw **ras**, benthyciad syml o'r Saesneg **race**, ond nid y math o ras y buom ni yn ei rhedeg pan oeddem yn ifanc a heini. Mae yna **ras** arall. Gwelodd yr ardal lawer o weithgarwch diwydiannol cynnar, ac wrth grafu a chloddio am fwynau mewn dull pur gyntefig yn y dyddiau hynny, y ffordd o gael gwared o'r amhurder yn y mwyn oedd ei olchi neu ei 'sgwrio' â ffrwd o ddŵr o bwll a gronnid uwchben pentwr o'r mwyn hwnnw.

Yn ddiweddarach, ffurfiwyd sianelau i gyfeirio'r dŵr ar eu hyd, ac yn union fel y defnyddid y gair Saesneg **race** am sianel gyffelyb — er enghraifft, yn yr ymadrodd **mill-race** am ffrwd felin neu ffrwd fâl — fe'i benthyciwyd i'r Gymraeg fel **ras** yn yr ystyr honno hefyd.

Cyfeiriad at y lliaws sianelau hyn i olchi neu 'sgwrio' mwyn yn yr ardal yw **Rasau**.

Digwydd y ffurf unigol mewn enwau eraill. **Ras Bryn Oer** oedd y **Brinore Race** ym mhen uchaf Cwm Rhymni yn 1832, a cheir pwll y **Rhaslas** ar Dwyn-y-waun ger Merthyr. Ceir y ffermydd **Upper** a **Lower Race** ger Pont-y-pŵl. Yn Llangyndeyrn, Ceredigion, ardal arall a welodd gloddio am fwynau, ceir **Rhas Cottage**, **Pen-rhas** a **Pant-y-rhas** a oedd yn gysylltiedig â **The Ras** a **Rhas Fach** yn 1726.

G.O.P.

Rhoose: Y Rhws

Ar gyrion y pentref hwn, fel y gŵyr pawb, y mae Maes Awyr Caerdydd, sydd â'r rhan fwyaf ohono yn gorwedd ym mhlwyf cyffiniol Pen-marc.

Prin fod lle i amau mai sail ffurf yr enw yw'r gair Cymraeg cyffredin **rhos**. Y ffurf gynharaf a gafwyd ar glawr hyd yma yw **Rhos** 1533-8, ond cyn diwedd yr unfed ganrif ar bymtheg newidiodd ei ffurf gan ymddangos fel **Rhoose**, **Rouse** 1538-44, **Rowse** 1587, **Roose** 1596-6, **Roouse** 1596 a.y.b.

Gyda'r rhan fwyaf o'i dir ym Mhen-marc, yn ôl pob tebyg, yr oedd yno gartrefle a oedd yn ddigon cefnog ei statws i'w alw'n **Plas Rws** c.1569, ac **Y Rws** rhwng 1540 a 1577, ond yn lled fuan digwyddodd y camraniad hwnnw yn y ffurf Gymraeg a welir mewn amryw enghreifftiau ar hyd a lled y wlad, lle'r aeth **Y Rws**, neu **Y Rhws**, yn **Yr Hws** erbyn 1606-20. Cydweddiad, efallai, â **hws**, a fenthyciwyd o'r Saesneg **house** 'tŷ, preswylfod'.

Bellach, mae Comisiwn yr Henebau yn derbyn bod olion tŷ cyfrifol yn sefyll tua chanol y pentref presennol cyn i'w safle gael ei werthu yn 1901 a'i orchuddio dan adeiladau Station Road. Bu unwaith ym meddiant teulu niferus y 'Matheuaid poethwylltion', chwedl Iolo Morganwg.

Dan ddylanwad y Saesneg y daeth y ffurf **r(h)oos(e)**. Cafodd y gair **rhos**, efallai yn ei ffurf gyntefig, ei fenthyca'n gynnar i'r Saesneg, gyda'r llafariad yn fer, a hynny sy'n cyfrif am y ffurf **ross** mewn enwau lleoedd fel **Ross on Wye** (**Rhosan ar Ŵy** yn Gymraeg), neu **Ross** yn Northumberland a.y.b.

Mewn benthyciadau llawer diweddarach cadwodd yr -o- ei hyd gan ddatblygu'r sain sydd i'r Saesneg -oo- (ac weithiau ei chryfhau ymhellach i ddatblygu'n ddeusain -ou- neu -ow-) fel yn **Roose**, Penfro a Sir Gaerhirfryn, **Roos** yn Swydd Efrog, a mannau eraill. Yn 1335 **Roos ysdulas** a geir am **Rhos Is Dulas** yn y Gogledd.

Ail-gymreigiad o'r ffurf hon yw **Rhws** (gyda'r -w- yn hir). A'r ystyr? Er y gall **rhos** weithiau olygu 'penrhyn' neu dir uchel sy'n estyn allan i'r môr, fel y cytras Gwyddelig **ross**, awgryma enwau eraill yn yr ardal mai'r ystyr gyffredin 'gweundir; tir garw agored' sy'n gweddu orau yma.

G.O.P.

Rhydfelen

Ai **Rhydfelen** ynteu **Rhydyfelin**?

A barnu oddi wrth nifer yr ymholiadau a dderbyniwyd, y mae'n amlwg fod cryn dipyn o ansicrwydd yn aros ynglŷn â'r enw hwn ar y pentref poblog ar gyrion deheuol Pontypridd, er gwaethaf bodolaeth **Ysgol Rhydfelen**.

Efallai bod y ffaith fod y ddwy ffurf ar fynegbyst y gymdogaeth yn ychwanegu at y benbleth hefyd.

Pa fodd bynnag am hynny, prin fod lle i amau mai at ryd ar afon Taf y cyfeirir yn yr enw gwreiddiol.

Edrych o ben y Graig-wen ar Ddyffryn Taf yn estyn i lawr 'heibio i Drefforest, a'r **Rhydfelen**, Nantgarw, Tongwynlais a Chaerdydd' a wnâi Glanffrwd (1878-88). Hefyd, ceir cyfeiriad pendant at **ynys ryd velyn** mewn arolwg o dir Iarll Penfro ym Morgannwg a wnaed yn 1570, lle mae **ynys** yn cyfeirio at dir a orlifid yn achlysurol gan ddŵr yr afon.

Diddorol yw canfod bod y tir yn dal i gael ei alw wrth yr un enw yn rhestrau etholwyr Morgannwg yn 1845 ac 1847, er ei fod erbyn hynny yn dechrau dangos olion traul a llygredd yn y ffurf **Ynysrhydfelian**.

Does dim llawer o amheuaeth mai **Rhydfelen** yw'r ffurf gywir. Cyfeirir yn gyson ym mhapurau stad yr ardalydd Bute o 1630 ymlaen at **tir rhyd velen**, ac â **Rhydfelen** (gyda phoblogaeth o dros fil) yr ymwelodd William Roberts (Nefydd) fel cynrychiolydd y Gymdeithas Frytanaidd yn 1856.

Mae'n amlwg mai geirdarddiaeth boblogaidd sy'n cyfrif am y ffurf ddiweddar **Rhydyfelin** (enw pur gyffredin) gyda pheth cymorth, efallai, gan wŷr y mapiau. **Rhyd-y-felin** a geir ar fap chwe-modfedd yr Ordnans yn 1885. Nid oes arwydd fod melin wedi bod yno erioed.

Cyfeirio y mae'r ansoddair benywaidd **melen** at liw'r dŵr melyn-frown lleidiog, o fynych groesi'r rhyd gan garnau ceffylau ac olwynion cerbydau, o bosibl.

Nid hon yw'r unig enghraifft sydd ar gael, ac fe'i ceir hefyd yn y ffurf **Y Felenrhyd**, a aeth yn **Lenthryd** ar lafar ger Maentwrog (**y Uelen ryt** ym mhedwaredd gainc y Mabinogi).

G.O.P.

Rhydtalog

Rhyd sy'n croesi afon Terrig rhwng Caer a Chorwen yw **Rhydtalog**, ond nid **talog** 'bywiog, sionc' yw'r ail elfen.

Ewch yn ôl i'r ffurfiau cynnar. Dyma rai ohonynt: **Ride Taloc** 1391, **Redalok, Redealok** 1448, **rryd talog** 1580, **Rhŷd Halawg** c.1700. Mae'n hollol bosibl mai enw person yw **Talog**. Er enghraifft, y mae cyfeiriad at ŵr o'r enw Ithel ap Talloc 1391 yng nghyffiniau'r Waun (*Chirk*). Meddyliwch am rydau eraill a gymerodd enw person (efallai'n byw yn agos i'r rhyd) megis **Rhydlewis** yn Nyfed, neu **Chelmsford** yn Essex.

'Baw, mwd' yw ystyr **terrig** yn **Afon Terrig**, ac y mae hynny yn codi posiblrwydd arall wrth geisio egluro **Rhydtalog**.

Fel y gallech ddisgwyl, roedd sawl rhyd yn fwdlyd wedi i anifeiliaid sarnu trwyddi, yn arbennig os oedd y rhyd yn groesfan ar lôn brysur y byddai'r porthmyn yn ei defnyddio'n aml. 'Rhyd-fudr', fel petai, mewn afon a oedd ag iddi natur fwdlyd.

Gair arall am 'budr' oedd **halog**. Mae **halog** yn ymddangos sawl gwaith mewn enwau afonydd, fel **Halogyn**, ond ei fod wedi ei fyrhau i **Logyn** a **Login** (ym Mrycheiniog, Sir Gaerfyrddin, Ceredigion, Maesyfed a Morgannwg). Mae **Pwllhalog** yn agos i **Diserth** (Dyserth), Clwyd, a **Rhydhalog** yn y Barri, a roes enw i **Nant Talwg**.

Mae posiblrwydd cryf mai hyn a geir yn **Rhydtalog**, Clwyd. Trodd **Rhyd-halog** yn **Rhydtalog** ac yn **Rhytalog** (yn aml ar lafar). Dyma'r math o newid a ddigwyddodd pan drodd **bead-house** yn Saesneg, sef 'tŷ gweddi', yn **Betws**. Dyma hefyd, yn fy marn i, pam roedd Edward Lhuyd, tua 1700, wedi ysgrifennu **Rhyd Halawg** (braidd yn llenyddol, efallai), wedi iddo weld bod y rhyd yn fudr ac eisio gwneud mwy o synnwyr o **Rhydtalog**.

Mae enwau digon tebyg yn Lloegr, gyda **Fulford** '*foul ford*' yn digwydd yn Nyfnaint, Gwlad yr Haf, Swyddi Stafford ac Efrog, sy'n f'atgoffa i o'r rhyd nodedig honno yn Nghaerwrangon a gafodd yr enw **Shitterford**. **Shitter** oedd enw'r afon, sef afon yn llawn baw a charthion. Tyfodd pentref o amgylch y rhyd, ond buan y newidiwyd **Shitterford** yn **Shatterford**!

H.W.O.

Sain Ffrêd (St Bride's)

Plwyf gwledig ar arfordir gorllewin Penfro yw Sain Ffrêd (St. Bride's).

Beth amser yn ôl hawliodd aelodau'r Cyngor Cymuned lleol fod fersiwn Cymraeg yr enw yn anghywir. Mae'n debyg iddynt dybio mai -e- fer oedd ynghanol **Ffrêd** ac yr yngenid yr enw fel yr enw Saesneg **Fred**, ffurf fer **Frederick**.

Un o'r ffurfiau Cymraeg ar enw'r santes Wyddeleg Brigid yw **Ffrêd**. Mae'r ffurfiau **Ffraid** a **Brid** i'w cael hefyd ac y maent i gyd yn digwydd mewn enwau lleoedd ledled Cymru — enwau megis Llansanffraid Glan Conwy a Llansanffraid Glynceiriog yng Nghlwyd, Llansanffraid Gwynllŵg (*St Bride's Wentllwg*) yng Ngwent, Saint-y-brid (*St Bride's Major*) ym Morgannwg a Sain Ffrêd ym Mhenfro. Ymddengys mai ffurf arbennig ar **Brigid** yw **Ffrêd**, ffurf ydyw a arferid gynt yng Ngorllewin a De-Orllewin Cymru. Y mae'r enghraifft gynharaf o'r enw **Sain Ffrêd** yn perthyn i'r flwyddyn 1566. Ceir **Ffrêd** hefyd yn yr enw **Glan Ffrêd** yng Ngheredigion — enw cartref mam Edward Lhuyd, a oedd yn ysgolhaig enwog rhyw ddau can mlynedd yn ôl.

Yn sicr -e- hir, nid un fer, sydd yn **Ffrêd**, a gwelir hyn mewn llinell o gywydd gan Iorwerth Fynglwyd (c.1480-1527), bardd o Saint-y-brid, Morgannwg:

> Da Ffrêd fwyn diffryd f'enaid
> (*Y da a'r addfwyn Ffrêd, amddiffyn f'enaid*)

Petai'r -e- yn **Ffrêd** yn fer yma, yna byddai'r gynghanedd yn hollol glonciog.

Yn ôl rheolau orgraff y Gymraeg nid oes angen hirnod neu do-bach (ˆ) ar -e- hir o flaen -d- ond credaf mai doeth fyddai gosod un yma er mwyn dangos yn blaen i'r byd mai ffurf Gymraeg brydferth a hynafol ar **Brigid**, enw santes o'r bumed ganrif ydyw, ac nid yr enw Saesneg modern, poblogaidd **Fred**.

T.R.

Schwyll

Ceir yr enw anghyffredin hwn ar fan ym mhlwyf Saint-y-brid, Morgannwg, ger y ffordd rhwng Ewenni ac Aberogwr, ac yn agos i Gastell Ogwr a chymer afonydd Ogwr ac Ewenni, ond prin y gellir gwneud mwy na chynnig petrus i'w esbonio.

Yno, saif un o orsafoedd pwmpio dŵr awdurdod Dŵr Cymru, olynydd i orsaf gynharach Cwmni Dŵr a Nwy Pen-y-bont ar Ogwr a fu'n cyflenwi dŵr i'r cyhoedd ers 1872.

Fe ymddengys fod yno bwll dŵr arbennig iawn gynt a ffurfiwyd gan nifer o ffynhonnau grymus eu rhediad a godai o doriad daearegol dan y ddaear. Hwn oedd y **Schwyll Pool** a ddangosir ar fap chwe modfedd yr Ordnans yn 1885, ac y mae'n bur amlwg mai enw Saesneg ydyw, gan na welwyd ffurf Gymraeg gyfatebol hyd yma na ffurfiau dogfennol cynharach.

Yr hyn sy'n rhoi arbenigrwydd i'r enw yw'r sillafiad gyda -**sch**-, ond nid oes arwydd o ddylanwad estron ar gael, a diogelach fyddai edrych arno fel ffurf Saesneg.

Nes dyfod tystiolaeth gadarnach, gellir cynnig mai'r gair Saesneg **swill**, sy'n gysylltiedig â'r ferf Hen Saesneg **swillan**, **swilian** a geir yma, nid mewn ystyr ddiweddar fel 'slops, bwyd moch', ond yn yr ystyr gynharach, 'rhediad grymus o ddŵr', gan mai hyn oedd nodwedd arbennig y ffynhonnau, yn ôl a wyddom. Ceir enwau yn swyddi Sussex a Chaint yn Lloegr sydd heddiw'n cymryd y ffurf **Swale**, ond a oedd gynt i'w cael yn y ffurfiau **Swyll(e)**, **Swill** (yr unfed ganrif ar bymtheg a'r ail ganrif ar bymtheg), ac yn arwyddo 'man lle'r oedd dŵr yn llifo'n rhwydd a grymus'. Dichon y gallai'r ffurf gynharach hon oroesi yng Nghymru yn hytrach nag yn Lloegr dan ddylanwadau llafar diweddarach.

Mater o orgraff yw'r -**sch**- yn **Schwyll**, gan y defnyddid y cyfuniad llythrennau hyn, sy'n deillio o'r Hen Saesneg -**sc**-, mewn Saesneg Canol i ddangos y sain -**sh**-.

Ar yr un pryd, a chofio'r duedd ym Morgannwg i seinio -**s**- fel -**sh**-, nid afresymol fyddai derbyn mai ymgais i gyfleu ynganiad lleol cyffelyb oedd defnyddio -**sch**-, a'i fod yn arwydd o dras a all fynd yn ôl i'r Oesoedd Canol. Gresyn na fyddai ffurfiau cynharach ar yr enw ar gael.

G.O.P.

Southra: Westra

Enwau ffermydd yw'r rhain ar gyrion comin Dinas Powys, Morgannwg, ac y mae'r elfen gyntaf yn y naill enw a'r llall yn amlwg yn dangos cyfeiriad eu lleoliad, sef y Saesneg **south** a **west**.

Y mae'r ail elfen yn gyffredin i'r ddau, a'r tebyg yw maï ffurf lafar gywasgedig ydyw ar y gair Saesneg Canol **rewe**, a ddaw o wreiddyn Hen Saesneg sy'n golygu 'rhes'. Y mae'r Saesneg **row**, sy'n arddangos amrywiad llafarog, yn ffurf arall arno.

Ceir **Southrewe** 1455, **Sowthrewe** 1489, a **Westrewe** eto yn 1455, **Westrew** 1558-1603.

Credwyd unwaith mai cyfeiriad at resi o goed praff a blannwyd i dorri min y gwynt ar ochrau deheuol a gorllewinol y comin a geid yn yr enwau hyn. Y mae **Southrow** yn yr ystyr honno i'w gael ym mhlwyf Castellmartin ym Mhenfro.

Bellach, fodd bynnag, y mae lle i ystyried posiblrwydd arall.

Ar y comin hefyd cofnodir **Northrewe** 1455. Nid·oes sicrwydd llwyr ynglŷn â lleoliad hwn gan nad yw'r enw wedi goroesi fel y lleill, ac efallai mai gwell fyddai aros hyd nes bydd yr archaeolegwyr yn sicrach o'u pethau parthed olion hen adeiladau a ganfuwyd ar y comin, rhag ofn mai at resi o dai neu adeiladau coll eraill y cyfeirir yn yr enwau hyn.

Y mae'n bur amlwg fod y Saesneg Canol **rewe**, a **row** mewn Saesneg Diweddar, yn cael eu defnyddio'n gyffredin iawn i gyfeirio at res o dai, 'stryd' mewn gwirionedd.

Hyn a geir yn yr enw **Southrew** c.1600 y tu allan i borth deheuol hen fwrdeistref Caerdydd, lle'r oedd stryd gynnar, **Shipman Street** (**Schipmanstrete** 1321) yn arwain allan o'r dref. Aeth hwn yn **Soudrey**, ac fe'i camesboniwyd gan rai fel ffurf sy'n dangos dylanwad Llychlynnaidd gyda'r terfyniad **-ey-** 'ynys', fel yn **Bardsey**, **Ramsey**, **Anglesey** a.y.b. Ond y gwir yw mai yr un dylanwad tafodieithol Saesneg o Dde-Orllewin Lloegr sydd yma (cyfnewid **-thr-** am **-dr-**) ag a gynhyrchodd **Drope** ger Sain Siorys o **Throp(e)** (t.44).

Y tebyg yw mai'r un ail elfen a geir yn hen enw'r fferm **Coldra**, a erys fel enw cyffordd enwog ar yr M4 ar ochr ddwyreiniol Casnewydd.

G.O.P.

Splot: Y Sblot

Parhau i ymddangos mewn ymholiadau bob yn eilddydd, bron, y mae'r enw hwn. Dyma fentro i ddweud y gair olaf — am y tro.

Gair Saesneg yw **splot**, cymar i **splat**, ac y mae'r ddau yn ffurfiau ar y cyfystyron **plot** a **plat**. Nodwedd amlwg o dafodiaith De-Orllewin Lloegr, a throsodd i swydd Rhydychen a Hampshire, yw'r -s- ar y dechrau.

Prin fod angen dweud beth yw eu hystyr gan fod **plot** yn gyfarwydd iawn am ddarn neu glwt o dir, a'r ffurf amrywiol **plat** hefyd, yn yr un rhannau o Loegr, gan gynnwys Sir Gaerloyw.

O'r cyfeiriad hwnnw y daeth i'r parthau hyn ar enau ymfudwyr dros y canrifoedd ac y mae **splot** yn digwydd fel enw caeau a ffermydd ym Mro Morgannwg (o leiaf wyth gwaith), yng Ngŵyr ac ym Mhenfro.

Yr enghraifft fwyaf adnabyddus yw **Splot**, Caerdydd, ardal drefol ers blynyddoedd ond gynt yn dir agored, ac at ddarn o'r tir hwnnw y cyfeiriai'r term ar y dechrau.

Cadwyd yr enw er i'r tir gynyddu'n rhan o stad Esgob Llandaf yn y drydedd ganrif ar ddeg, a'i osod ar les i William Bawdrip (neu Bawdrem i Gymry'r fro) o blwyf Pen-marc, brodor o Wlad yr Haf.

Erbyn amser John Leland, c.1536, yr oedd yno faenordy, neu yng ngeiriau'r hen hynafiaethydd ei hunan '*a maner place belonging to Baudrem*'.

Rhannwyd y tir yn ddwy fferm, yr 'uchaf' a'r 'isaf', a gwerthwyd rhan ohono i Edward Lewis o'r Fan, Caerffili, yn 1626. Yn 1843-50 cyfeirir at **Splott House**, ond enw 'gwneud' i raddau yw'r **Splottlands** a ymddengys yn ddiweddarach.

Nid oes cysondeb yn y modd y sillefir yr enw dros y canrifoedd. Ymddengys mai mater o fympwy personol yr ysgrifwr, yn aml, oedd presenoldeb un neu ddwy -t- ar ei ddiwedd. Does dim angen -tt-, a bod yn fanwl, ac weithiau ceir amrywiadau fel **Splote** 1726, a **Splattye** 1568, ond **Splott** a geir amlaf.

O tua 1542-3 ymlaen, fe wneir yr enw yn benodol trwy ddefnyddio'r fannod o'i flaen, **the Splott** 1542-3, 1596-1600, 1658 a.y.b., ac erbyn hyn argymhellir Cymreigio'r enw mewn cyd-destun Cymraeg yn **Y Sblot**, er mai i Tomas Bawdrem **o'r Splott** y canodd yr hen fardd Dafydd Benwyn ar ddechrau'r ail ganrif ar bymtheg.

G.O.P.

Swyddffynnon

Pentref ym mhlwyf Lledrod, Sir Aberteifi yw **Swyddffynnon**. Fel arfer wrth sôn am raniadau tir defnyddiwn **swydd** i olygu 'sir', ond gall hefyd olygu 'cwmwd' 'arglwyddiaeth' neu 'diriogaeth' mewn enwau lleoedd yng Nghymru. Benthycair o'r gair Lladin **sedes** 'cadair, gorsedd, sedd' yw **swydd** ac, wrth gwrs, y mae i'r gair ystyron eraill, sef 'gwaith', 'galwedigaeth', '*position*', '*post*'.

Credaf i **Swyddffynnon** gael yr enw am fod safle'r pentref a'r tir oddi amgylch yn rhan o diroedd eang Abaty Ystrad-fflur, a hynny o gyfnod cynnar iawn. Ffurf yr enw yn 1721-2 oedd **Swydd y ffynnon oer**. Yn siartr Harri'r Ail i Abaty a mynaich Ystrad-fflur sy'n dwyn y dyddiad 1181-2 — siartr sy'n cadarnhau siartr flaenorol yr Arglwydd Rhys — sonnir am dir **Fenaunoyr** ymhlith tiroedd eraill yr abaty. Sonnir am dir **Fynnaun Oyr** mewn siartr arall o'r flwyddyn 1202 ac yn rhestr treth y Pab Nicholas, a berthyn i'r flwyddyn 1291, sonnir am le o'r enw **Fonte Frigido** 'y ffynnon oer'.

Yn 1616-17 bu achos llys rhwng Robert, Iarll Essex, a nifer fawr o wŷr Ceredigion ynghylch tiroedd a fu gynt yn eiddo i Abaty Ystrad-fflur. Yn eu plith roedd dau dyddyn o'r enw **Managhtie Heane** (Mynachty-hen) a **Ffinnon Oyre**. Rhaid fod tyddyn y **Mynachty-hen** wedi dod yn eiddo i deulu Vaughan, Trawscoed (Crosswood) erbyn 1635-6, gan i ŵr o'r enw Evan Moris Morgan o Ledrod gael prydles arno gan John Vaughan yn y flwyddyn honno. Yr oedd Evan Moris Morgan dan orfodaeth i ddefnyddio melin **Suidd-y-fynon-oer** yn ôl telerau'r brydles.

Felly yr oedd yna ffynnon o ddŵr oer ger pentref **Swyddffynnon** a roes ei henw i ardal gyfan. Gall enw nodwedd ddaearyddol amlwg weithiau fynd yn enw darn helaeth o dir. Yr enghraifft enwocaf y gwn i amdani yw'r **Maen Melyn** yn Llŷn, craig felen enfawr ar yr arfordir ger Braich y Pwll yn Aberdaron a roes ei henw i gwmwd cyfan, sef **Cymydmaen** — enw cwmwd gorllewinol Llŷn.

Ond, ble'r oedd y ffynnon oer enwog ym mhentref Swyddffynnon. Methais i ei lleoli yn union hyd yn hyn. Sylwais fod sawl pistyll wedi eu nodi ar fap ordnans o'r pentref o'r flwyddyn 1906 a bod yno, yn y flwyddyn honno o leiaf, dafarn o'r enw **Fountain Inn**. Tybed a oes yna unrhyw un yn y pentref heddiw a ŵyr am safle'r ffynnon?

T.R.

Tredelerch

Dyma'r enw arall ar faenor neu arglwyddiaeth fechan Rhymni a gyffiniai i bob pwrpas â phlwyf Rhymni yn ddiweddarach, lle'r oedd eglwys Llanrhymni (Glanrhymni gynt, yn ôl pob tebyg), ac a enwyd ar ôl enw'r afon ar ororau dwyreiniol Caerdydd.

Amhosibl yw bod yn sicr ai cyfeiriad at y sefydliad gwreiddiol a oedd yn sail i'r faenor a geir yn **Tredelerch** 1536-39, **Tref Delarch** 1606, **Tredelogh** 1698, **Tredeler** 1857, ond teg fyddai derbyn mai **tref** yn ei ystyr gysefin, 'daliad, fferm, preswylfod' sydd yma + enw personol y perchennog, **Telerch**.

A dyna ddechrau gofidiau. Arweiniodd cam-ddehongli'r enw personol i syniadau cyfeiliornus sy'n cael eu harddel hyd heddiw.

Cyfansoddiad **Telerch** yw'r rhagddodiad parch neu anwyldeb, **ty** + enw personol gwrywaidd, **Elerch**, yn gynharach **Eleirch**. Y mae **Elerch** hefyd yn digwydd ar ei ben ei hun fel enw lle yng Ngheredigion, ac fe gyfeirir yn un o gywyddau Dafydd ap Gwilym at fynd 'ar draws Eleirch' yn y fan honno, cynefin y bardd.

Ond o wybod bod gan Dafydd hefyd noddwr, Ifor Hael, yng Ngwernyclepa, Gwynllŵg, dim ond rhyw dair milltir i'r dwyrain o Dredelerch, credodd rhai, ar sail ei leoliad ger afon Rhymni, a chan ddiystyru'n llwyr y ffaith mai **Telerch** yw ail elfen yr enw, ac nid **Elerch**, mai cyfeiriad at afon Rhymni oedd yr **Eleirch** (**Elerch** heddiw) sydd yn y cywydd.

Ymhellach, daethpwyd i'r casgliad fod cysylltiad rhwng y ffurf **elerch** ag **elyrch**, sef ffurf luosog y gair **alarch**, yr aderyn, '*swan*', yn enwedig gan fod y ffurf **eleirch** eto yn digwydd fel ffurf amrywiol ar **elyrch**.

O'r dryswch hwn y daeth y camsyniad mai 'afon yr elyrch' yw'r **Rhymni** — rhywbeth i Gymdeithas Bro Elyrch gnoi cil arno.

G.O.P.

Tredodridge

Rhwng Hensol a Phendeulwyn ym Mro Morgannwg y mae pentref bychan diarffordd **Tredodridge**.

Yn y fro, y mae enwau sy'n dechrau â **tre(f)-**, yn yr ystyr gynharach 'ffermdy, cartrefle', yn bur niferus, fel **Trerhingyll**, **Trecastell**, **Tre-groes**, **Trehwbwb** a.y.b. Ceir rhai sydd yn ffurfiau Cymraeg ar enwau Saesneg a oedd yn diweddu â'r elfen Saesneg gyfystyr **-ton**, fel **Tresimwn** am **Bonvilston** (**Simon de Bonville** oedd enw'r perchennog Eingl-Norman cyntaf), neu **Trefflemin** am **Flemingston**.

Nid afresymol fyddai credu, felly, o sylwi ar wedd anghyfiaith ail elfen yr enw, ac yn wyneb y ffaith mai mynych y ceid enw personol neu gyfenw fel ail elfen i fynegi perchenogaeth, fod **Tredodridge** yn enw o'r ail ddosbarth yna.

Hysbys yw fod Bro Morgannwg wedi derbyn mewnfudwyr o ochr arall Môr Hafren yn gyson dros y canrifoedd, a phur arwyddocaol yw canfod bod **Dodridge** yn enw lle ger Crediton, yn Nyfnaint. Gallai, felly, fod hefyd yn gyfenw unigolyn neu deulu a ddeilliodd o'r lle hwnnw, er na wyddom ddim amdanynt.

Lle ceir enwau Saesneg, yn diweddu â'r cyfuniad **-idge**, fe'i cynrychiolir gan ysgrifwyr Cymraeg fel **-is**, yn union fel y cafwyd **Cwbris** am **Cowbridge** (Y Bont-faen), a **pa(r)tris**, **petris** am **partridge**. Yn y dafodiaith hefyd aeth **-is** yn **-ish** (fel yn **prish**, **mish** a.y.b.).

Y ffurfiau hynaf ar yr enw fel y mae heddiw yw **Tredodrish** 1742, 1797, gyda'r **-d-** yn caledu ar lafar i roi **Tredotris(h)** 1799, 1813, a **Tre-dotrus** ar fap Swyddfa'r Ordnans yn 1833.

Pur sylweddol, felly, yw'r dystiolaeth dros edrych ar **Dodridge** yn yr enw fel cyfenw Saesneg. Ond y mae anhawster. Nid **Tredodridge** yw'r ffurf wreiddiol.

Yn 1573 ceir **Redodrys**, a ffurf wallus, **Rydd Addris**, yn 1649. Yna ceir **Rhydodris(h)** yn cydredeg â **Tredodris(h)** yn y ddeunawfed ganrif, yn wir, hyd 1841. **Rhydodris**, felly, yw'r gwreiddiol, ac y mae'n amlwg fod y clwstwr o dai sy'n ffurfio'r pentref presennol i'w cael ar safle rhyd ar nant sy'n rhedeg trwyddo. Pont fechan a geir yno heddiw.

Y cwestiwn yw, ai'r cyfenw Saesneg **Dodridge** yw ail elfen y ffurf wreiddiol **Rhydodris** wedi'r cwbl? Ni ellir bod yn bendant, ond ar y llaw arall prin fod y terfyniad **-odris** yn y ffurf yna yn awgrymu nac enw personol na chyfenw Cymraeg.

G.O.P.

Tref-y-nant Brook

Dyma sydd gan Edward Lhuyd i'w ddweud c.1700 am yr afon: 'Tervynnant sy'n dervyn rh[wng] Sir Ddinbech a Sir Veirionydhsir rh[wng] plw[y] Kolhen a phlwy Korwen'. Mewn man arall o'r llyfr mae'n cyfeirio at yr afon fel 'Tervynant a brook on ye borders of Ll.Gollen', ac wedyn 'Tervynant divides Denbs. & meir. rises at Berwyn & falls to Dee 2 miles below Ll.sanfraid'. Mae dogfen arall yn 1391 yn cyfeirio ati fel **Tervinnant**.

Yn ddigon diddorol mae afon arall i'r de o Fynydd Rhiwabon yn dangos yr un nodweddion. Dyma sydd gan Lhuyd am honno: 'Avon y trevynnant (Tervynnant) sy'n codi o geven y fedw ag ar i phen i dhowrdwy hanner chwarter milhdir is law Pont Kyssylhtie'. Roedd arni 'Pont y tervynnant' un o'r pontydd 'ar dervynnant rhyngthynt a Rhiwabon'.

Does fawr o amheuaeth felly beth oedd ystyr **Tref-y-nant** yn y ddau le: nant yn ffurfio ffin, nant derfyn neu 'terfyn-nant'.

Wrth i **Terfyn-nant** ddod yn un gair cyfansawdd disgynnodd yr acen ar yr ail sill yn ôl arferiad y Gymraeg a rhoi inni **Terfynnant** (yn yr un modd ag yr aeth Pen-y-berth yn **Penýberth** a Garnedd-wen yn **Garnéddwen**).

Wedyn, fe benderfynodd yr -r- newid lle, fel sy'n digwydd weithiau: fe glywch chi **pyrnu** yn Sir Fôn am **prynu** er enghraifft. Trodd **Terf-** yn **Tref-** o dan ddylanwad y gair **tref** (er nad oedd tref yno), a dyna sy'n egluro **Trefynant** a gofnodir yn 1574. **River Trefynnant** a geir hefyd yn 1707, tystiolaeth bellach o air cyfansawdd gydag acen ar y goben. Y cam nesaf oedd i bawb anghofio'r cyfeiriad gwreiddiol at **nant**, ac ychwanegu **afon** yn ddianghenraid.

Erbyn y ganrif bresennol, nid yw **Trefynnant** yn gorwedd yn esmwyth 'chwaith ar wefusau, clustiau na llygaid pobl, ac fe'i torrwyd i fyny yn elfennau mwy synhwyrol: **Tref-y-nant Brook** sydd ar fapiau Ordnans 1912 a 1966. Sylwch eto ar yr ychwanegiad **brook**. Aeth y 'nant sy'n derfyn' yn angof.

H.W.O.

Trehwbwb

Un o hoff orchwylion y sawl sy'n ceisio esbonio enwau lleoedd yn anfeirniadol yw tadogi hynafiaeth nad yw'n bod ar ambell enw. Hyn oedd ffawd **Trehwbwb**, enw daliad o dir digon di-sôn-amdano ger pentref Llwyneliddon (St Lythans) yṁ Mro Morgannwg yn y ddeunawfed ganrif, ond tŷ sylweddol heddiw.

Yn y lle cyntaf, **Tir Wbwb** a geir yn 1762, ac yna **Trehubub Land** 1785 ac wedi hynny, lle mae'r Saesneg **land** yn cynnal yr ystyr **tir** er bod **tre** eisoes wedi dod i mewn fel elfen gyntaf.

Digwydd cyfnewid yr elfennau hyn ar lafar weithiau pan adwaenir y bwthyn, neu'r ffermdy a godwyd ar y tir wrth enw'r lleoliad, a hefyd, wrth gwrs, fe'i hwylusir oherwydd tebygrwydd ffurf.

Yna, benthyciad o'r gair Saesneg **hubbub** 'stŵr, dadwrdd, cyffro' yw **hwbwb**, ac o'i ddefnyddio yn y cyswllt y ceir ef ynddo yma, yr hyn a gyfleir yw tir y bu dadlau neu ymryson ac anghytundeb yn ei gylch, beth bynnag oedd yr achos am hynny.

Y mae'r dystiolaeth o Loegr am enwau o'r fath yn niferus, ac yng Nghymru ceir **dadl** neu **dadlau** fel elfen gyfystyr mewn rhai enwau (nodir **Tir llwyn y Dadley** 1660 ym Mhenfro gan Dr B.G. Charles). Yn y plwyf hwn ceir **Cae Scandal** yn 1839, heb sôn am **Cwmwbwb** ar lethrau gogleddol Mynydd Caerffili, sef **Cwm Ywbbwb** mewn dogfen yn 1799.

Dylid sylwi ar y ffurf olaf yna gan fod yr ail elfen yn cynrychioli'r amrywiad llafar yn y De ar **hwbwb**, sef **iwbwb**. Yn wir, hyn a gyfleir gan y ffurf **Treuwbwb** yn nyddiadur William Thomas o Lanfihangel ar Elái yn 1766.

Dyna sail y camgymeriad a wnaed gan hynafiaethwyr ar ddechrau'r ganrif hon wrth gysylltu'r enw â'r ffurf lwgr **Iupania** (er na wyddent hwy hynny) a geir mewn testun Lladin hynafol sy'n rhestru lleoedd yn neheudir Cymru. Ni ŵyr neb hyd heddiw lle'r oedd, ond er ei bod yn anodd credu hynny, rhoddwyd 'hwb' arall i'r ffurf honno, a'i darllen fel **Iupupania**. Nid anodd wedyn oedd ei chysylltu â'r ffurf lafar **Treiwbwb**.

Pwy, tybed, a oedd yn gyfrifol? Anodd bod yn sicr. Yr awgrym cyntaf a gefais i oedd gweld nodi **Caerau Treiwbwb** ganrif yn gynharach yn un o lawysgrifau Iolo Morganwg yn y Llyfrgell Genedlaethol.

Gair i gall . . . ?

G.O.P.

Tre-os

Parhau i ddangos y ffordd i bentref **Treoes**, ac nid i **Dre-os**, y mae'r mynegbyst ar y ffyrdd yng nghyffiniau Llanganna a Llangrallo, yn ymyl Pen-y-bont ar Ogwr. **Tre-os** yw'r ffurf gywir, ac y mae ei tharddiad yn ddiddorol gan ei bod yn addasiad Cymraeg anghyffredin o enw Saesneg gwreiddiol.

O 1525 hyd ddiwedd yr unfed ganrif ar bymtheg y mae nifer sylweddol o ffurfiau ar glawr sy'n dangos yn glir mai **Goston** oedd yr enw hwnnw, ac y mae yn deillio o'r Hen Saesneg **gōs** 'gwydd' (Saesneg Diweddar **goose**) + y **-ton** Saesneg cyffredin yn ei ystyr gynnar o 'daliad, fferm'.

Nid rhyw ffatri wyddau, fel petai, a olygir, ond treflan ar weundir y byddai afon Ewenni yn ei orlifo yn aml; man y byddai gwyddau — rhai gwyllt, wrth reswm — yn ei fynychu'n gyson. Ceir nifer o enwau tebyg, fel **Gosford**, **Gosbrook**, **Gostrode** a.y.b. yn Lloegr.

Yna, erbyn 1596-1600, Cymreigiwyd yr enw, gyda **tre(f)** yn dod i mewn yn lle **-ton**. Ond pur eithriadol oedd yr hyn a ddigwyddodd i'r elfen gyntaf. Cadwyd **gos-**, heb unrhyw ymgais i'w gyfieithu, a'i drin fel pe buasai'n air Cymraeg, hynny yw, treiglo'r gytsain gyntaf ar ôl **tre(f)** (**g-** felly yn diflannu), i roi **Tre-os**.

Yn y ffurf hon, y mae'r **-o-** yn hir, ac fel y mae'n digwydd yn aml yn y De, daw **-o-** hir o symleiddio'r ddeusain **-oe-** ar lafar, fel yn **côs** am **coes**, **côd am coed** a.y.b. O wybod hynny, tybiwyd ar gam erbyn y ddeunawfed ganrif mai **oes** oedd ffurf gysefin ail elfen **Tre-os**, a dyma adfer y ffurf 'gywir' **Treoes**, yn debyg i fel y cafwyd **Bargoed** am **Bargod**.

Yn ddiddorol iawn, yn *Welch Piety* (1748-50) — adroddiadau Griffith Jones, Llanddowror ar hynt ei ysgolion cylchynol — y daw'r ffurf **Treoes** i'r amlwg gyntaf. A pha ryfedd, o gofio mai ym mhlwyf un o'r Tadau Methodistaidd, David Jones o Langanna, y saif **Tre-os**, a bod ei gyfnod ef wedi gweld cryn dipyn o ail-Gymreigio ar Fro Morgannwg.

G.O.P.

Trerannell

Prin fod neb yng nghyffiniau Pen-y-bont ar Ogwr yn gyfarwydd â'r lle wrth yr enw hwn bellach gan mai wrth enw Seisnig ei wedd yr adwaenir ef erbyn hyn.

Mewn dogfennau sy'n ymwneud â degymau Abaty Margam yn yr unfed ganrif ar bymtheg y gwelir **Trerannell** gyntaf ar glawr, yn y ffurf **treranell** 1518, ac y mae'n cyfeirio at dir sydd ar fin y ffordd rhwng Pen-y-bont ac Abercynffig, yr A4063, yn agos i safleoedd ysbytai Pen-y-fai a Glan-rhyd.

Aeth **-annell** yn **-angell** ar lafar, fel y digwyddodd mewn enw nant yn Sir Benfro a geir fel elfen olaf yr enw **Blaen-yr-angell**, sef camraniad o **Yrannell** gynt. Yna symleiddiwyd yr **-ll** derfynol, dan ddylanwad y Saesneg, mae'n debyg, i roi **-angel**.

Erbyn 1618, gwelir arwydd o'r newid hwn a oedd i ddigwydd yn ffurf yr enw, sef **Tre Angel**, ac erbyn 1753-4 a 1779 ei Seisnigo yn **Angel Town**, gan fod pentref bychan yno erbyn hynny, ac **angel** hefyd yn cael ei ynganu yn y dull Seisnig. **Angelton** a geir o 1814 ymlaen, gyda'r **-ton, town** Saesneg yn lle **tref**. Heddiw, o **Angelton Road** y troir i mewn i ysbyty Pen-y-fai, er i'r pentref gael ei lyncu bellach gan y faestref.

Parthed y ffurf **Trerannell**, ei hail elfen wreiddiol, ar ôl **tref-**, oedd **ariannell**, ffurf fachigol sydd i'w chysylltu â'r gair **arian**, ac a geir hefyd yn y ffurf **arannell**, o golli'r **-i-** gytsain ar lafar. Digwydd fel enw tua dwsin o nentydd yng Nghymru yn y naill ffurf neu'r llall, a barn R.J. Thomas oedd i'r rheiny gael yr enw oherwydd disgleirdeb eu rhediad.

Hefyd, gan mai ar yr ail sillaf y disgyn yr acen yn y ffurf **aránnell**, y duedd oedd i **-a-** ddiacen y sillaf gyntaf fynd yn aneglur a chael ei chamgymryd fel **-y-**, i roi **yrannell**, a hynny'n arwain i'r gred mai'r fannod **yr +** y ffurf **annell** oedd yno.

Fodd bynnag, er mai'r un yw ei gyfansoddiad, digwydd **Ar(i)annell** fel enw personol yn ogystal. Gyda **tref** yn ein henghraifft ni, sef **Trefarannell** yn ei ffurf gysefin lawn, yn ôl pob tebyg, enw personol a ddisgwylid i ddangos perchnogaeth. Teg fyddai derbyn hynny yma.

Diddorol yw sylwi bod ffurf amrywiol ar yr enw personol yn bosibl, a honno a geir yn enw **Pentre Eiriannell** ym Môn.

G.O.P.

Turkey Shore

Enw ar ran o ochr ddwyreiniol porthladd Caergybi ym Môn yw **Turkey Shore**. Cofnodir yr enw gyntaf yn 1777 — enw cors isel ar lannau'r harbwr. Enw'r gors hon yn 1753 oedd **Cors y Tyrci**. Ffurf yr enw hwn yn 1738 oedd **Cors Starky**. Yr oedd y gors yn rhan o dyddyn o'r enw **Tyddyn Starkey**. Cofnodir yr enw hwn gyntaf yn 1602 yn y ffurf **Tythyn y Starky**. Ceir tystiolaeth mewn dogfen yng nghasgliad stad Castell Penrhyn, Llandygái, sy'n dangos fod Sais o'r enw Edward Starkey yn berchennog tiroedd mewn gwahanol rannau o Fôn, gan gynnwys Ynys Cybi, yn ail hanner y bymthegfed ganrif. Yn 1465-66 gwerthodd Edward Starkey dyddyn wyth acer ym mhlwyf Caergybi i William Griffith o'r Penrhyn.

Y mae'n bur amlwg felly mai'r cyfenw Saesneg **Starkey** sydd tu ôl i'r enwau **Tyddyn Starkey**, **Cors Starkey** a **Cors y Tyrci** am i'r tiroedd hyn ar lannau isel porthladd Caergybi fod unwaith ym meddiant Edward Starkey. Ond, o ble daeth **Turkey Shore**?

Credaf mai morwyr o Gaergybi yn ail hanner y ddeunawfed ganrif a oedd yn gyfarwydd iawn â phorthladd Llundain ac afon Tafwys (Thames) sydd yn gyfrifol am yr enw. O'r ail ganrif ar bymtheg ymlaen gelwid glannau afon Tafwys yn ardaloedd Lambeth, Southwark a Rotherhithe yn **Turkish Shore** am y credai trigolion Llundain fod bywyd yn y mannau hynny mor farbaraidd ag yr oedd yng ngwlad Twrci. Daeth yr enw yn derm poblogaidd am unrhyw ddarn barbaraidd o arfordir. Credaf fod morwyr o Gaergybi yn gwybod am yr enw hwn, iddynt weld y tebygrwydd rhyngddo a'r enw **Cors y Tyrci** ac iddynt alw ochr ddwyreiniol harbwr Caergybi yn **Turkey Shore** o ran hwyl neu sbeit. Ymsefydlodd yr enw. Cofnodir ef yn bur gyson o ddiwedd y ddeunawfed ganrif ac fe'i ceir ef ar fapiau o ddechrau'r ganrif diwethaf.

Ceir ffordd ger Doc Fictoria yng Nghaernarfon o'r enw **Turkey Shore** hefyd. Mae'n bosibl fod morwyr wedi cario'r enw hwn i Gaernarfon yn syth o lannau afon Tafwys.

T.R.

Twyncyn

Gall y ffurf hon, sef **twyn** 'codiad tir, bryncyn' + y terfyniad bachigol -**cyn** a fenthyciwyd o'r Saesneg -**kin** (cymharer y pâr **bryn, bryncyn**), fod yn weddol gyffredin ei lledaeniad fel enw lle.

Ond mae hanes tarddiad yr enw **Twyncyn**, yn Ninas Powys, yn bur wahanol serch hynny, er y gellir ei dderbyn fel enw pur addas ar y tir sy'n codi'n raddol i'r gogledd o bentref Dinas Powys.

Prin fod lle i amau, er hynny, mai at y tir hwn y cyfeirir yn gynnar yn yr ail ganrif ar bymtheg fel **Tomkin Smith's Lande**, ac yna **The Tompkin** 1765, **The Tomkin** 1784, a **Tomkin Land** 1785. Yn y cyffiniau hefyd ceir **Coed Twyncyn** heddiw, sef **Tomkins Wood** 1685, 1693, **Great Tomkin's Wood** 1783 a.y.b.

Y mae'n bur amlwg yn yr achos hwn, felly, mai ffurf a grewyd yn y ganrif ddiwethaf yw **Twyncyn** i wneud synnwyr o ffurf lafar leol fel **Tonkin, Twnkin**, y cafwyd tystiolaeth ohoni, ac a oedd yn weddill y **Tom(p)kin** gwreiddiol, ond nad oedd yn ddealladwy i genhedlaeth ddiweddarach. Dyma'r unig enghraifft o'i math, hyd y gwn.

Sylwer mai adffurfiad Cymraeg o enw Saesneg gwreiddiol yw hwn, a hynny mewn ardal lle'r oedd y Saesneg wedi hen ennill ei phlwyf ers cenedlaethau. Un arwydd arall, felly, o'r mesur sylweddol o ail-Gymreigio a ddigwyddodd ym Mro Morgannwg yn y ddeunawfed ganrif a dechrau'r ganrif ddiwethaf.

Y mae enw Saesneg perchennog cyntaf y tir, **Tom(p)kin**, yn ffurf fachigol o **Tom (Thomas)**, a thystiolaeth rhai o ffurfiau cynharach enwau cysylltiol yr ardal yw bod amrywiad arall ar ffurf yr enw personol yn bosibl. Yn 1784 cyfeirir at **Tomkin Lane**. Yn 1773 y ffurf oedd **Tinkin Lane**.

Tybed, felly, nad yr un cyfenw a geir yn enw lleoliad yr hen feddrod enwog o Oes y Cerrig ym mhlwyf Sain Nicolas, **Tinkinswood**?

G.O.P.

Tyddewi

Yn y Gogledd ceir nifer o enghreifftiau o'r elfen **bod** 'cartref' yn golygu 'eglwys' mewn enwau lleoedd. Dilynir yr elfen gan enw sant neu enw personol mewn enwau megis **Bodedern**, **Bodewryd**, **Bodferin**, **Boduan**, **Bodwrog**, a **Botwnnog**.

Yn y De ceir un enghraifft o'r elfen **tŷ** '*house*' hefyd yn golygu 'eglwys, prif fynachlog sant' mewn enw lle, sef **Tyddewi**. Ceir nifer o enghreifftiau o **tŷ** yn cael ei ddilyn gan enw sant neu santes ac yn golygu 'eglwys' yng ngwaith y cywyddwyr. Y mae Gutun Owain yn cyfeirio at 'Dŷ Feuno' a Huw Cae Llwyd yn sôn am 'Dŷ Bedr' a 'Thŷ Bawl' yn Rhufain. Wrth gwrs y mae 'tŷ Dduw' hefyd yn ymadrodd pur gyffredin sy'n golygu 'eglwys'.

Ond hyd y gwelaf y mae **Tyddewi** yn un o'r enghreifftiau prin, prin o enw lle yng Nghymru lle mae **tŷ** yn golygu 'eglwys neu brif fynachlog sant'. Ni chofnodir yr enw cyn canol y bymthegfed ganrif. Yn wir y mae'r enw **St David's**, a'r ffurfiau Lladin arno, yn cael eu cofnodi rai canrifoedd yn gynharach. Y mae'n bosibl hefyd fod yna ffurf gynnar Saesneg ar yr enw, sef **Dewstow**. Fodd bynnag, y mae lle i gredu fod yr enw **Tyddewi** yn llawer iawn hŷn na'r enghreifftiau cynharaf ohono a gedwir ar glawr.

Nid nepell o eglwys Bryncroes yn Llŷn, yn ôl Rice Rees, yr oedd yna gapel bychan, a'r enw arno oedd **Tŷ Fair**. Cofnodir yr enw gyntaf yn 1692, ac y mae'n bur sicr mai 'eglwys' neu 'capel' yw ystyr **tŷ** yma eto.

Dyma ddwy enghraifft eithriadol o brin felly o **tŷ** yn golygu 'eglwys' mewn enwau lleoedd yng Nghymru. Y mae pethau'n bur wahanol yn Iwerddon. Yno y mae'r gair sy'n cyfateb i **tŷ** yn y Gymraeg, sef **teg**, **tech** yn digwydd yn bur aml mewn enwau lleoedd yn yr ystyr 'eglwys' — a hynny mewn enwau megis **Taghadoe**, **Tigh-Molling**, a **Tech na Roman**.

T.R.

110

Uchelolau

Highlight yw enw'r lle ar y map. Enw ffermdy bellach ar gyrion gogleddol y Barri, ond lleoliad hen bentref hyd ddiwedd yr unfed ganrif ar bymtheg, hefyd plwyf bychan ac eglwys. 1558-1603 yw dyddiad bras ymddangosiad cyntaf y ffurf **Highlight** y gwelais i gofnod ohono. Cyn hynny, ffurf Gymraeg oedd i'r enw, sef **Uchelolau** (**Hukheloleu** yn 1254). Amlwg, felly, mai cyfieithiad llythrennol o **Uchelolau** i'r Saesneg yw **Highlight**, gan gredu mai'r gair **golau** yw'r ail elfen. Camgymeriad oedd hynny, fodd bynnag.

Ffurf luosog y gair **ôl**, sef **olau** (lle mae **olion** yn fwy cyffredin heddiw) yw'r ail elfen hon mewn gwirionedd. Yr un **ôl** yw hwn ag a gewch chi yn yr ymadroddion cyffredin **ar fy ôl**, **yn fy ôl** a.y.b. a'i ystyr gynhenid yw 'trywydd, trac'. Lle ceir **olau** cyson y maent yn debyg o gynhyrchu 'llwybr, ffordd'. Yn yr ystyr honno (ffurf luosog yn datblygu ystyr unigol) y digwydd **olau** yn **Uchelolau** i nodi ffordd uchel ei safle, ar lethr neu gefnen o dir, dyweder. Y mae'n cyfateb yn hwylus i'r term *ridgeway* yn Saesneg, a chyfeiria yn benodol yma at frig y gefnen sylweddol o dir, neu gangen ohoni, y mae y ffordd o Gaerdydd i faes awyr y Rhws yn awr yn ei dilyn ger y Barri.

Ceir enghreifftiau eraill o **Uchelolau** ym Morgannwg. Enw fferm ger Ewenni (a ymddengys, hithau, fel **Highlight** yn 1846) ac enwau dwy fferm nad ydynt yn bod bellach, o boptu'r ffordd o Bencoed i'r gogledd trwy Riw'r Ceiliog a thros Fynydd-y-gaer.

Mwy anodd i'w ddehongli yn ei ffurf bresennol yw enw'r hen blasty yng Nghwm Nedd sy'n cynnwys yr un elfen, **Rheola**. Ei ffurf wreiddiol oedd **Hirola(u)** (**Hirrole**, **Hyrolle** 1295 a.y.b.), ac fe geir y ffurf unigol **ôl** yn yr enw **Heol-y-march** ger Llanddunwyd sy'n gam-esboniad ar y ffurf gynharach **Olmarch** (**Olemarch** 1612, **Olmargh** 1628 a.y.b.) 'llwybr march' y ceir enghreifftiau ohono yng Ngheredigion a Sir Benfro (t.57).

G.O.P.

Verville

Dyma ffurf y map o enw fferm ar y gefnen o dir a gyfyd uwch y rhostir yn y tryfal a ffurfir gan gymer afonydd Ogwr ac Ewenni, yn agos i'w haber ger Castell Ogwr.

Y mae golwg anghyfiaith arno, Ffrengig yn wir, ond nid yw'r -**ville** terfynol yn ddim ond mympwy orgraffyddol, er i'r sain a gynrychiolir gan y terfyniad fod yn bur agos i'w lle.

Ffurf Saesneg yw hon sydd i'w chael yn lled fynych mewn mân enwau ac enwau caeau yn Lloegr. Mewn gwirionedd, i'r categori olaf y mae'n perthyn, gan mai cyfansawdd ydyw o'r elfennau Saesneg **fore** 'o flaen', gyda'r ystyr ddealledig 'tir sy'n ymwthio allan, o flaen, neu ymlaen', a **field** 'cae'.

Dyma'r math o leoliad y gellir yn hawdd ei ddychmygu ar y gefnen y saif y fferm arni, ac nid yr hyn sy'n cael ei gyfleu yn yr esboniad a grybwyllir yn y ffurfiau **Varfrell alias Fayre ville** 1627-8 a **Fairfield alias Vervil** 1807.

Yn enwau Saesneg caeau Bro Morgannwg y mae'r elfen **fore** i'w chael yn lled gyson. Ceir **Foreland** yn Lecwydd, **Forthey** yn Llancarfan ('ynys' o dir yn sefyll allan mewn gwern, a aeth yn **Forty**, enw fferm yn Llansanffraid ar Elái), a chymar i **Verville** yn y ffurf **The Vorfill** ym mhlwyf Gwenfô, ac eraill.

Fel y nodwyd eisoes fwy nag unwaith, dylanwad tafodiaith De-Orllewin Lloegr (Dyfnaint a Gwlad yr Haf yn arbennig) a siaredid gan yr ymfudwyr cyson o'r parthau hynny i'r Fro, a Bro Gŵyr, a welir yn y ffurfiau hyn, lle lleisir -**f**- ar ddechrau gair yn -**v**-, a chytsain olaf y gair **field** yn cael ei cholli i roi **viel(d)** ac yna **ville**, gydag ychydig o ddychymyg.

O wybod hynny y gweir synnwyr o enwau lleoedd fel y rhain ar hyd a lled y Fro ac yng Ngŵyr - **Vurlong**, **Tŷ Verlon**, **Vishwell**, **Welvord**, **Vershill** (Saes. **furze**), **Vernel** (Saes. *fern*, *hill*).

G.O.P.

Wharton Street: Heol-y-cawl

Dyma enw'r stryd sy'n rhedeg i Heol Eglwys y Santes Fair ger siop Howell yng Nghaerdydd.

Os hi yw **Wottonstrete** 1492, dyna'r ffurf hynaf ar yr enw sydd ar gael, ond cwbl sicr yw **Wortonstrete** 1549, **Wrotton-streete** 1557, **Woorton strete** 1560, **Wortton Strete** 1563 a.y.b. a'i sail yw'r Hen Saesneg **wyrt-tūn** 'gardd lysiau'.

Ystyr **wyrt** yw 'planhigyn, llysieuyn', yn arbennig un sy'n perthyn i deulu'r bresych, o bob math. Fe'i gwelir yn y terfyniad Saesneg -**wort** mewn enwau planhigion fel **colewort** a **liverwort** heddiw.

O graffu'n fanylach ar **colewort** gwelir mai cyfansawdd ydyw o elfennau cyfystyr, bron iawn, ac y mae'r elfen gyntaf **cole** a ddefnyddir, hithau, i ddynodi llysieuyn o deulu'r bresych, yn fenthyciad i'r Saesneg o'r Lladin **caulis**, a welir hefyd yn **kale**, ac elfen gyntaf **cauliflower**. Hwn yw'r gair Lladin a roes **cawl** i ni yn y Gymraeg hefyd.

Nid annisgwyl, felly, gweld **Heol-y-cawl** yn ymddangos fel cyfieithiad neu addasiad Cymraeg o ffurf wreiddiol **Wharton Street**. Yn 1768 ceir **Worton Street commonly called Houle Cawle**, ond cofnodir y ffurf Gymraeg yn gynharach na hynny, **Hewle y Cawle** 1682.

At beth yn union y cyfeiria'r enw sydd gwestiwn arall. At ardd neu erddi bwrdeiswyr cynnar, efallai, neu, yn llythrennol, at lôn fach wleb neu wtra lle'r oedd cawl gwyllt yn tyfu, fel yn **Heol-y-cawl** ym mhlwyfi Llanilltud Faerdre a Saint Andras. Dyma'r **cawl** a geir, wrth gwrs, ym **Mhorth-y-cawl**, a dalfyrrir bellach fel **Porthcawl**.

Ond fe aed gam neu ddau ymhellach yng Nghaerdydd. Ar fap John Speede o'r dref yn 1610 ei henw yw **Porag Stret**. Erbyn 1755, ac ar ôl hynny, **Pottage or Porridge lane**. Dyma gyfieithu'r **cawl** Cymraeg i'r Saesneg y tro hwn yn ei ystyr ddatblygedig (heb wybod ei wir ystyr) o 'saig o lysiau wedi eu berwi a'u coginio; potes' a gyfleir gan y gair Saesneg **pottage**, neu **porridge** (sy'n ffurf amrywiol ar **pottage**).

Ac nid dyna'r cwbl. Mewn teithlyfr yn 1829 cawn, **Broth Lane** 'an old name for Wharton Street, Porridge Lane or Heol-y-cawl'.

Tipyn o botes, onid e?

G.O.P.

Wilpol

Enw ar dŷ cymharol fodern yn Llantrisant, ger Llannerch-y-medd ym Môn yw **Wilpol** heddiw. Yr oedd gynt yn enw ar dyddyn a safai ychydig i'r gorllewin, ond sydd bellach yn furddun.

Cofnodir yr enw gyntaf yn 1652-3 yn y ffurf **Tyddyn Willpolle**. Yn 1656 **Tythin willpoole** oedd ffurf yr enw. Mewn gweithred o'r flwyddyn 1840 ceir y ffurfiau **Willpool** a **Tyddyn y Willpool**.

Ymddengys mai'r geiriau Saesneg Canol **whyll** 'olwyn', a **pol** 'pwll' wedi ymgaregu yn y Gymraeg yw'r elfennau a geir yn yr enw. Os felly, y mae'r enw yn un anghyffredin iawn. Yr oedd yno felin a phwll ger safle yr hen dyddyn, a rhed ffrwd fechan o'r pwll i Lyn Alaw heddiw. Rhaid felly fod yr enw yn cyfeirio at y pwll ger olwyn y felin.

Y mae'n bosibl fod y gair Cymraeg **pwll** yn fenthyciad o **pull**, ffurf Hen Saesneg y gair cyfoes **pool**, ond hyd y gwn, nid oes yna enghraifft arall yn y Gymraeg o fenthyg o'r ffurf Saesneg canol **pol**. Digwydd **pol** yn gyffredin iawn mewn enwau lleoedd yn Lloegr — **Liverpol** oedd ffurf yr enw **Liverpool** 'Lerpwl' yn 1211. Ychydig iawn, dyrnaid yn unig, o enwau Saesneg a gofnodwyd ym Môn cyn diwedd y ddeunawfed ganrif. Y mae hyn i gyd yn gwneud **Wilpol** yn enw hynod iawn — enw a barodd gryn ddryswch i esbonwyr dros y blynyddoedd.

Ychydig filltiroedd i ffwrdd, ym mhlwyfi Llanfair-yng-Nghornwy a Phenrhosllugwy, safai tai o'r enw **Pwllyrolwyn**. Safai'r tŷ ym Mhenrhosllugwy gerllaw pwll Melin Dulas. Yr oedd yn arfer felly, ym Môn, galw tŷ ger pwll melin yn **Pwllyrolwyn**, ond erys yn ddirgelwch pam y cafodd un ohonynt, ynghanol yr ynys, enw Saesneg yn yr Oesoedd Canol.

T.R.

Afon Wirion

Enw afon fechan yn hen Sir Ddinbych yw **Wirion**. Y mae'n llifo o lyn bychan yn agos i Fawnog ar lethrau dwyreiniol Mynydd Llaneilian ac oddi yno yn agos i Blas Llywelyn ac i mewn i Nant Llywelyn, nant sy'n llifo yn ei thro i afon Dulas i'r gogledd-orllewin o Betws-yn-Rhos.

Enw rhyfedd, meddech chi. Enw digon gwirion.

Ond nid oes angen mynd yn ôl yn rhy bell i weld yn syth mai'r sillafiad modern sy'n wirion, oherwydd ar fapiau'r ganrif ddiwethaf, rhai 1840 a 1879 er enghraifft, fe welwch **Wyrion**.

Mae hyn yn gwneud synnwyr, gan mai'r hen enw ar Betws-yn-Rhos oedd **Betws Wyrion Wgon**. Golygai **wyrion** 'disgynyddion, teulu', neu yn ôl ein harfer heddiw 'plant ein plant'. Ystyr **Betws Wyrion Wgon** oedd 'betws sy'n perthyn i ddisgynyddion Gwgon'. Mae'r un **wyrion** yn ymddangos yn yr hen enw am Betws-y-coed, sef **Betws Wyrion Iddon**.

Felly, y mae'n rhesymol casglu mai'r enw gwreiddiol ar yr afon oedd **Afon Wyrion Wgon**, a hynny ymhen amser yn mynd yn **Afon Wyrion**.

Hyd y gwn i, nid oes gennym fawr o wybodaeth am Gwgon, ond y mae hyn yn ddigon siŵr, nid gwirion mohono ef nac Iddon.

Wrth gwrs, yn y Gymraeg nid oedd **gwirion** bob amser yn golygu yr hyn y mae yn ei olygu heddiw. Dyma ystyron cynnar **gwirion**: 'pur, dibechod, di-fai, cywir, geirwir, diniwed, diddrwg'. Gwrandewch arnoch eich hun yn canu ail bennill emyn William Williams, Pantycelyn —

Ffydd, dacw'r fan, a dacw'r pren
Yr hoeliwyd arno Dwysog Nen
Yn wirion yn fy lle . . .

Roedd yr ystyr eisoes yn newid, o fod yn 'ddiniwed, *innocent*' i fod yn '*simple-minded*', oherwydd ganrif cyn i Bantycelyn ysgrifennu'r geiriau hyn y mae cyfieithiad 1620 o'r Beibl yn cyfeirio (yn adnod 7 o Salm 19) at wneud 'y gwirion yn ddoeth'.

H.W.O.

Yr Wyddfid

Enw ar drefgordd neu gymuned fechan ar ben Y Gogarth ger Llandudno yng Ngwynedd oedd **Yr Wyddfid** yn wreiddiol. Cofnodir yr enw gyntaf yn 1349. Mewn dogfen a luniwyd yn 1650 sy'n cofnodi gwerthu tiroedd Esgob Bangor ar Y Gogarth cyfeirir at 'y Wyddfid situated on the top of Gogarth Hill'.

Yn ddiweddarach daeth **Yr Wyddfid** yn enw bwthyn ar Y Gogarth, cartref Benjamin Williams, awdur yr emyn dôn **Deganwy**. Enwodd Benjamin Williams un arall o'i emyn donau yn **Gwyddfid**.

I ni heddiw, enw'r planhigyn dringol '*honeysuckle*, melog, tethi'r gaseg' yw **gwyddfid**. Fodd bynnag yr oedd i'r gair ystyr arall gynt, sef 'llwyn, gwrych o ddrain gwyllt' neu 'wrychyn amddiffynnol'. Ceir yn y gair yr elfennau **gŵydd** 'gwyllt' a **bid** 'gwrych, perth'. Y mae'n bur debyg mai'r gair hwn a geir yn yr enw **Yr Wyddfid** ac nid enw'r planhigyn. Y mae'n bosibl hefyd fod yr enw yn cyfeirio at hen gaer ar ben Y Gogarth a amddiffynid gan wrych trwchus a phigog.

Fe ddigwydd **Yr Wyddfid** yn enw lle mewn ardaloedd eraill yng Nghymru, yn enwedig yng Ngwynedd a Chlwyd. Ceir **Yr Wyddfid** yn Abergele, ym Mangor, Betws-y-coed, Cricieth a'r Fflint. Y mae'n bur debyg mai at wrych y cyfeirir yn yr enwau hyn oll.

Ceir ail elfen yr enw, **bid** 'gwrych, perth' hefyd mewn rhai enwau lleoedd megis **Y Fid Gelyn** yn Eglwysilan, Morgannwg, **Y Fidlas** ym Medwas, **Pant-y-fid** ym Mhencarreg a **Twyn y Fid Ffawydd**, Gelli-gaer.

Ond sut y daeth **gwyddfid**, gair a olygai wrychyn gwyllt, yn enw ar blanhigyn mor hyfryd a phersawrus â'r **gwyddfid** '*honeysuckle*'? Fe ddigwydd weithiau yn y Gymraeg fod coeden neu blanhigyn yn cymryd ei enw oddi wrth y llecyn lle ceir ef yn tyfu, ac, wrth gwrs, mewn llwyni a gwrychoedd y tyf y gwyddfid.

Un o ystyron **gwern** yw 'siglen, cors', ond y mae hefyd yn enw coeden, am mai mewn corsydd a mannau llaith y ceir y goeden hon yn tyfu.

T.R.

Yniston

Yn lled ddiweddar rhoddwyd cyhoeddusrwydd i'r ffermdy sy'n dwyn yr enw hwn yn hen blwyf Lecwydd. Enghraifft arall ydyw o enw a newidiodd ei ffurf dros amser er mwyn rhoi iddo ryw fath o ystyr.

Nid y gair cyffredin **ynys** yw'r elfen gyntaf, ac nid **ton** fel yn **Tongwynlais**, **Tonpentre** a.y.b. yw'r ail.

Tua diwedd y bymthegfed ganrif y ffurf oedd **Eston**, yna **Easton** 1660-85 ac **Easttown** 1747, enw Saesneg, sef **east** + **ton** o'r Hen Saesneg tūn 'cartrefle, ffermdy', sy'n arwyddo ei safle ar gyrion dwyreiniol y plwyf, yn ôl pob tebyg.

Erbyn y ddeunawfed ganrif yr oedd yr iaith Gymraeg wedi adennill cryn dipyn o'i lle yn y parthau hyn, ac fel y digwyddai'n gyson yn iaith lafar y De, yr oedd tuedd i ynganu -s- ar ôl -i- (boed hi'n hir neu fer) yn -**sh**-, fel yn **dishgwl mishtir**, **prish** a.y.b. A chan nad oes llawer o wahaniaeth i'r glust rhwng sain y ddeusain Saesneg **ea** yn **east** ac -i- Gymraeg ar lafar, cafwyd **Ishton** erbyn 1812-14 am yr **Easton** gwreiddiol.

Y cam nesaf oedd yr hyn a gyfrif am ffurf yr enw **Narberth** ym Mhenfro, **Arberth** yn gynharach, sef canlyniad defnyddio'r arddodiad **yn** o flaen enw nes bod yr -**n**- wedi glynu wrth yr enw hwnnw o'i fynych ddefnyddio ar lafar. Rhoes **yn Arberth** y ffurf **Narberth**.

O roi **yn** o flaen **Easton**, neu'r ynganiad lleol **Ishton**, cafwyd **Nishton**, ac fe ategir hyn ar glawr yn 1745, 1793, 1840-65 a.y.b., ond yn y cyswllt hwn fe aed gam ymhellach gan ei bod yn ymddangos fod y sillaf lawn, **yn**, wedi goroesi a bod ymgais wedi ei gwneud i 'esbonio'r' ynganiad llafar fel pe bai'n cynnwys **ynys** + yr elfen Gymraeg **ton**; **Yniston Farm** 1876, **Ynyston** 1892, a hyn sy'n cyfrif am y ffurf honno ar y map, er mai **Is-twyn** oedd y ffurf ar fap cyntaf modfedd-i'r-filltir Swyddfa'r Ordnans — cynnig arall amrywiol oedd hwnnw i esbonio'r enw a godwyd o ddogfennau stad yr Ardalydd Bute, **Nistwyn** 1773.

Heb fod ymhell i ffwrdd, ym mhlwyf cyfagos Saint Andras, y mae lle o'r enw **Eastbrook**. Yng nghofrestri'r plwyf, **Nishbrook** yw hwnnw yn 1839.

G.O.P.

117

Ynysawdre

Enw y bu cryn 'esbonio' arno o bryd i'w gilydd yw **Ynysawdre**, yn arbennig felly gan y sawl a fu'n ysgrifennu dogfennau cyhoeddus dros y blynyddoedd. Ceir **Ynys Nawdre** 1631, **Ynys Naudre** 1692, **Ynisnawdre** 1790 a.y.b. sy'n awgrymu (tybed ai o fwriad?) mai'r rhifol **naw** + **tref** sy'n ffurfio ail elfen yr enw. Cynnig arall oedd mai'r **nawdd** sydd yn **noddfa** sydd yma + **tref**, ond prin y gellir derbyn hynny.

Yr **ynys** sydd yn golygu 'tir ar lan afon' neu ddoldir isel a orchuddir gan ddwfr pan fydd yr afon yn gorlifo'r glannau yw'r elfen gyntaf, ac er i'r enw ledu i fod yn enw plwyf sifil ac ardal weinyddol, enw ydoedd yn wreiddiol ar ddyddyn a ddaeth yn ffermdy sylweddol erbyn yr ail ganrif ar bymtheg ac a godwyd ar dir ar lan afon Ogwr, islaw Abergarw ac i'r dwyrain o'r Ton-du, rhwng Pen-y-bont a Maesteg. Y mae Ysgol Gyfun Ynysawdre heddiw yn sefyll yn bur agos i'r safle wreiddiol.

Y tebyg yw mai'r un yw ffurf ail elfen yr enw â'r hyn a geir fel enwau dwy fferm a saif ar y tir uchel rhwng Pontrhydyfen a Chastell-nedd, **Hawdref Fawr** a **Hawdref Ganol**, y ddwy yn rhaniadau o un daliad gwreiddiol yn y ddeunawfed ganrif, ac mai **Ynys(h)awdre(f)** yw sail y ffurf lafar **Ynysawdre**.

Nid oes a wnelo **hawdre(f)** ddim â'r ansoddair **hawdd**, gan mai cwbl amlwg oddi wrth gryn nifer o hen ffurfiau enwau'r ffermydd yng nghyffiniau Castell-nedd yw mai ffurf ar **hafdref** a geir yma, **Have dre** 1602, 1784, **Middle**, a **Lower Hafdre** 1791, **Hafdre Genol** 1815 a.y.b. ac y mae **hafdre(f)** yn ei dro yn derm amrywiol cyfystyr â'r termau cyffredin **hafod** a **hafoty**, sef y **bod** 'preswylfod, trigfan', neu'r **dref** 'tyddyn, ffermdy' y symudid iddo ers talwm o'r **hendre(f)** yn yr haf gyda'r da byw, fel rhan o droad y rhod amaethyddol flynyddol.

Gellir cynnig, felly, mai ynys yr **hafod** neu'r **hafdref** (a aeth yn **hawdre** ar lafar gwlad) yw **Ynysawdre** er gwaethaf yr -**n**- ar ddechrau'r ail elfen yn y ffurfiau a nodwyd ar y dechrau, ac nid anaddas yr enw gan fod llawer **ynys** ar lan afonydd De Cymru, a mannau eraill o ran hynny, yn borfa fras i anifeiliaid yn rhinwedd eu lleoliad.

Anodd yw dychmygu'r fath oruchwyliaeth amaethyddol yn y fan a'r lle o edrych ar y sefyllfa dan drwch tai annedd heddiw.

G.O.P.

Mynegai

Rhagor o lyfrau am enwau lleoedd o Wasg Carreg Gwalch

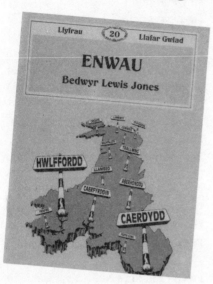